Moordmeiden

Moordmeiden

Mirjam Mous

Van Holkema & Warendorf

Van Mirjam Mous zijn verschenen:
De juf is een heks
Allemaal nijlpaarden
Harige Harrie
Pistolen Paula
Een loeder van een moeder
Langejan
Soep met een luchtje
Ouders te koop
Goed fout!
Vigo Vampier – Een bloedlink partijtje
Vigo Vampier – Een bloeddorstige meester
Vigo Vampier – De bloedneusbende

Dit boek kan meedoen aan de Jonge Jury 2003

Tweede druk 2003

ISBN 90 269 9691 8
© 2002 Uitgeverij Van Holkema & Warendorf,
Unieboek BV, Postbus 97, 3990 DB Houten

www.unieboek.nl

Tekst: Mirjam Mous
Omslagontwerp: Ontwerpstudio Johan Bosgra BNO, Baarn
Foto omslag: © Patrick Sheándell O'Carroll/PhotoAlto; Getty Images, Inc
Zetwerk: Zetspiegel, Best

Inhoud

I

Het moordritueel

Als er dikke wolken voor de maan schuiven, plast Anouk bijna in haar broek. Kan duisternis je verpletteren? Krampachtig houdt ze de zaklamp vast waarmee ze op Laura's rug schijnt.

'Hierlangs!' roept die. 'Dit is de kortste weg.'

Sssst! denkt Anouk.

Maar Laura heeft een langere levenslijn dan zij en gelooft daarom dat ze onsterfelijk is.

De kortste weg loopt over het oude grafveldje. Wie daar ligt is dood én vergeten. Er is niets dan zompige grond met verweerde stenen en kapotte kruisen.

Anouk zakt meteen tot aan haar enkels in de modder. Shit shit shit.

Laura ook altijd met haar ideeën. Ze hadden hoog en droog op haar slaapkamer kunnen zitten. Maar nee, volgens Laura is dit de meest spirituele plaats in de omgeving. Hier moet het gebeuren, ook al spookt het vannacht. Regen, wind en blubberzooi. Er ontbreken alleen nog zombies en rammelende skeletten. Anouk staat te trillen op haar benen. Ze heeft zeker te veel horrorfilms gezien.

Overdag ziet het kerkhof er anders uit. Gewoner. Ze weet nog precies waar Max stond, tweede laantje, zevende graf. Zij met haar bek vol tanden en hij maar praten. Als Max iets zei, hingen alle meisjes aan zijn lippen. Maar daar zou nu snel een eind aan komen.

Ze schudt haar korte, natte haren uit haar gezicht. Niet zoveel denken, doorlopen. Net als Laura, die over het drassige veld banjert alsof dit een gezellig uitje is. Wadlopen of zo, in plaats van dansen op een graf. Je reinste heiligschennis is het. Anouk tast naar het zilveren kruisje aan haar ketting om het onheil te bezweren.

'Schiet nou op!' Laura schreeuwt boven de wind uit. De muts van haar regenjack klappert tegen de klep van haar rugzak.

'Wat zit erin?' had Anouk nieuwsgierig gevraagd.

'Wapens.' Laura lachte erbij als een kleine heks.

Dat je zoveel nodig had om iemand te vermoorden.

Eindelijk zijn ze het oude grafveld over. Via een kleine graswal komen ze terug op het pad. Aan weerszijden staan berken met spookachtig witte stammen; de takken zwiepen boven hun hoofden.

Grijparmen, denkt Anouk. Ze laat de zaklamp zigzaggend over de kiezels schijnen. Schaduwen, overal.

Geesten bestaan niet, dat weet ze heus wel, maar haar voeten gaan vanzelf sneller en sneller tot ze Laura heeft ingehaald. Zwijgend kijken ze elkaar aan, terwijl hun handen elkaar koortsachtig zoeken. Hebbes! Anouk knijpt stevig in Laura's vingers.

'Daar is het,' fluistert Laura als ze het crematorium zien liggen.

Anouk voelt dat de haartjes in haar nek overeind gaan staan. Zodra Laura haar loslaat, veranderen haar benen in spaghettislierten. Aan het laatste stuk naar de deur lijkt geen einde te komen.

'Shit, op slot natuurlijk,' sist Laura. 'We proberen de achterkant.'

Ze lopen langs de muur van het gebouw. Aan de gevel

hangt een sculptuur van een vliegende vogel. Regendruppels vallen van de goot op het brons. Plong, plong. Anouk wil ook wel wegvliegen. Rechtsomkeert, naar huis. Maar Laura trekt haar al mee om de hoek.

Ze staan voor een raam.

'Licht eens bij.' Laura zoekt op de grond. 'Je zou toch denken dat er op een kerkhof hopen stenen liggen.' Onder een struik vindt ze een vergeten schopje. 'Lang leve de plantsoenendienst.'

Anouk heeft een broertje dood aan de plantsoenendienst. 'M-m-misschien hebben ze een alarminstallatie.'

'Welnee, dan plakken ze altijd stickers op de ramen. Trouwens…' Laura snuift. 'Wat valt er hier te pikken?' Zonder aarzelen slaat ze de ruit in.

Anouk kijkt angstig rond. Maar bomen zijn doof, die bellen geen politie en de weg ligt een paar honderd meter verderop.

Laura doet haar rugzak af en duwt ermee tegen de kapotte ruit. Als de laatste scherven uit de sponning springen, valt de tas met een plof naar binnen.

'Yes!'

Anouk hoest als Laura enthousiast op haar rug trommelt. 'De ballen, Max!'

Laura klimt als eerste naar binnen. Anouk geeft haar de zaklamp en klautert haar achterna. Met een sprong komt ze op de grond terecht.

Een gang met kapstokken. Een paar stoelen tegen de muur.

'Kom.' Laura schijnt op de deuren en leest de bordjes. 'Toilet, dames, heren. Ontvangstzaal. Yes! Aula.' Ze duwt met haar schouder de deur open.

Anouk ruikt bloemen, waarschijnlijk chrysanten.

'Voel je het?' vraagt Laura. 'Deze plek heeft een ziel.'

Anouk voelt niets, behalve kippenvel.

Er hangt een akelige stilte, alleen de regen ruist op het dak. Stoelen staan arm aan arm, tien rijen dik.

Laura legt haar rugzak op het podium en begint uit te pakken. Kaarsen, een schaal, een doosje lucifers en schoolbordkrijt. Ze tekent een pentagram op de vloer en zet de schaal er middenin. De kaarsen komen in een kring om de schaal te staan. Als Laura ze heeft aangestoken, houdt ze haar hand op. 'Foto.'

Anouk haalt hem uit de zak van haar jas. Niet kijken.

Haar haren lekken, er valt een druppel op de foto. Als ze hem wegveegt, kijkt ze toch.

Max staart haar aan. Donkere ogen met lichtjes erin. Zijn handen losjes – mij kan niets gebeuren – in zijn spijkerbroek. Zijn haar is nog nat van de zee achter hem.

Ze probeert de brok in haar keel weg te slikken. Hij is zo... springlevend.

'Foootooo.' Laura wappert ongeduldig met haar hand.

Als ze hem geeft, is het afgelopen. Voor altijd over en uit.

Haar arm bibbert als ze de foto aan Laura overhandigt. Ze hoeft nog geen meter te overbruggen en toch lijkt het een wereldreis.

'Zenuwen?' vraagt Laura.

'Dooie vingers,' zegt Anouk. 'Het is hier ijskoud.'

Laura peutert een plastic zakje uit het voorvak van haar rugzak. Het knispert als ze het openmaakt en er een pluk haar uittrekt.

Zwart haar dat krult. Max' haar. Haar dat niet meer aan iemands hoofd vastzit, is dood als een pier. Of groeit het nog een poosje door? Anouk is het vergeten. Het is net of haar hoofd vol natte proppen zit. Haar blik dwaalt af naar de bloemen in lelijke vazen. Zie je wel, van die stomme chrysanten.

Laura gaat in kleermakerszit op het podium zitten. Het flakkerende licht van de kaarsen beschijnt haar gezicht. 'Jij moet daar.' Ze wijst naar de andere kant van de cirkel. Zodra Anouk tegenover haar zit, begint Laura te oemen. 'Oem, oem.' Net als haar moeder wanneer die mediteert. Anouk giechelt. 'Sorry, toch zenuwen.'

Laura pakt haar handen vast. Hun armen vormen een kring boven de cirkel.

'Ik zweer dat wij hartsvriendinnen blijven,' zegt Laura plechtig. 'Tot de dood ons scheidt.'

'Het lijkt wel een huwelijk.'

'Nee, een crematie. Zweer het.'

'Ik zweer het.'

'Max heeft ons op de proef gesteld. Hij heeft het boze oog,' zegt Laura. 'Nu moet hij boeten.'

Ze laat Anouk los en pakt de foto. Langzaam scheurt ze hem in stukken en laat de snippers in de schaal vallen. De haarlok gaat erbovenop.

'Hierbij veroordeel ik Max tot de doodstraf.' Ze strijkt een lucifer af en houdt die bij het haar. Het verschrompelt meteen en verspreidt een schroeilucht.

'Gatver.'

'Voor eeuwige vriendschap moet je wat overhebben.' Laura legt de brandende lucifer in de schaal en gooit er nog een paar nieuwe lucifers bovenop. De zwavelkopjes maken ploffende geluidjes. Dan staat Max in de fik. De fotosnippers krullen en blakeren zwart.

Veroordeeld tot de brandstapel, denkt Anouk. Net als Jeanne d'Arc.

II

De vriendschap

Hun vriendschap dateert al van de zandbak. Haar moeder heeft het verhaal zo vaak opgedist, dat Anouk niet eens meer weet of ze het zich écht herinnert. Misschien herinnert ze zich alleen wat er is verteld.

Het was haar eerste dag op school. Ze stond stijf tegen het muurtje van de speelplaats en staarde onwennig naar de gillende jongetjes, hollende meisjes en rondcrossende driewielertjes.

'Wil je niet spelen?' vroeg de juf. Ze zette Anouk in de zandbak en duwde een schepje in haar hand. 'Ga maar eens een mooie kuil graven.'

Zodra Anouk het schepje in de grond stak, begon een meisje met tuttige vlechtjes te huilen.

'Dat is het strand van Barbie. Daar mag je niet komen.' Ze hield Anouk een barbiepop in roze badpak voor.

Laura was er ineens, als een duveltje uit een doosje. Ze pakte de pop af, smeet die op de grond en bedekte de barbie met zand. Anouk en het meisje waren zo verbluft dat ze met open mond bleven kijken.

'Nu is ze dood,' zei Laura.

Meteen krijste het meisje de hele speelplaats bij elkaar. De juf stapte in de zandbak en greep Laura bij haar arm. 'Geef onmiddellijk die pop terug.'

Laura viste de barbie uit het zand en blies haar schoon. 'Niet boos zijn,' zei ze. 'Kijk, ze leeft alweer.' Ze liet de poppenbenen bewegen.

De juf gaf de barbie terug aan het meisje, dat nog na-snotterend een armpje in haar mond stak.

'Je moet niet van die rare spelletjes spelen,' zei de juf streng.

'Helemaal niet raar.' Laura stampvoette. 'Als je dood bent, kun je weer een baby'tje worden, of een hond of een vlieg. Dat heeft mama mij zelf verteld.'

De juf deed haar mond open en weer dicht en zuchtte toen diep. 'Anouk, ga jij maar fijn met Debbie spelen.'

Maar Anouk was helemaal niet van plan om zich met dat slome vlechtenkind te bemoeien. Laura was veel interessanter. Ze gaf haar schep aan Laura en trok haar mee naar een hoekje van de zandbak. 'Zullen we wormen gaan opgraven?'

Vanaf die dag waren ze onafscheidelijk. Ze verzamelden dode pissebedden, spinnen en vliegen en stopten die in potjes. Urenlang tuurden ze door het glas om te zien of ze al tot leven kwamen. Ze hoopten dat ze in hondjes zouden veranderen, of in krokodillen, maar ze droogden alleen uit en verschrompelden. Als hun geduld op was en ze de lijkjes uit de potjes visten, verpulverden ze tussen hun vingers. Met rupsen lukte het soms wel, maar die werden altijd vlinders en Anouk wist nooit zeker of ze wel dood waren.

Toen Laura's konijn stierf, begroeven ze hem in de tuin. Deze keer waren ze geduldiger en wachtten ze drie weken voordat ze zijn graf openmaakten. Hij lag er niet meer, maar vlakbij hipte een jonge merel rond.

'Jij was vroeger een konijn,' zei Laura stellig.

De vogel piepte.

Anouk vroeg zich af of ze wel op de goede plek hadden gezocht. Laura's moeder had kort daarvoor nieuwe planten gepoot, zodat het perk er onherkenbaar uitzag. Maar

Anouk wilde zó graag dat het waar was, dat ze er hevig in ging geloven.

Doodliggen en verrijzen werd een van hun favoriete spelletjes. Om de beurt gingen ze doodstil op hun rug liggen en dan bedachten ze wat ze in hun volgende leven zouden worden. Zodra de 'dode' iets gekozen had, kwam ze met schokjes tot leven en dan moest de ander proberen te raden als wat. Anouks beste imitatie was die van een berggorilla.

In groep vier richtten ze een club op ter bestrijding van de moord op vliegen. Het was een hete zomer en regelmatig zoemde er een vlieg door de klas. Toen de meester er met zijn boek eentje doodsloeg, was Laura helemaal overstuur. 'Misschien is het iemands opa of oma,' zei ze. 'Of mijn overleden vader.'

Haar vader was niet echt gestorven, maar er plotseling vandoor gegaan toen ze drie was. Laura's moeder zweeg hem dood.

De klas keek naar Laura alsof ze niet goed wijs was. Tot ze met een voorstel kwam: 'Voor elke levend gevangen vlieg, krijg je van mij een snoepje.'

Alle leerlingen deden mee. Aan het einde van iedere schooldag hadden Laura en Anouk een grote appelmoespot vol vliegen. Ze lieten ze vrij in het park.

Toen ze in de supermarkt snoep moesten pikken om de vele vliegenvangers te kunnen uitbetalen, hield Anouk ermee op. Ze was een slechte dief. Als ze maar aan pikken dácht, begon het alarm al te loeien.

Ze wist toen ook niet dat ze het in zich had. Dat ze iemand zou kunnen vermoorden...

III

Voor de moord

1

Een paar maanden voor het ritueel op het kerkhof. Vierde uur, Engelse les. De Wild deelde boeken uit. 'Vandaag behandelen we Robert Brownings *The Pied Piper of Hamelin*.'

'Kinderachtig,' mompelde Laura net iets te hard. 'Een stom sprookje.'

De Wild kon zo kijken dat je ter plekke bevroor. Laura beet op haar lip en frummelde zenuwachtig aan de bladzijden.

'Ik geloof dat Laura graag wil beginnen.' De Wild grijnsde en liep fluitend naar zijn bureau.

Hij mocht wel oppassen, dacht Anouk, Laura was in staat een vloek over hem uit te spreken.

Laura balde haar vuisten en las:

'By famous Hanover city;
The river Weser, deep and wide,
Washes its wall on the southern side;
A pleasanter spot you never spied;
But, when begins my ditty,
Almost five hundred years ago,
To see the townsfolk suffer so
From vermin, was a pity...'

Anouk staarde naar de letters. Hoe lang was het geleden dat opa haar de rattenkoning had laten zien? Drie, misschien vier jaar. Toen ging ze elke week naar de volkstuin, op haar racefiets. Als opa gesnoeid had, stookten ze vuurtjes van de takken. In het late voorjaar plukten ze aardbeien en kersen, en appels in de herfst. Vele vakanties had ze er met haar broer Jelle gekampeerd. 'Kamer met uitzicht op weilanden en sloten,' zo noemde opa zijn schuur in de volkstuin.

Bij helder weer trokken ze de polder in om kieviten, kraaien en grutto's te spotten. Opa had een verrekijker gekocht, waarmee ze elk paaltje afspeurden op buizerds en de slootkanten op vissende reigers. Een keer hadden ze een kluit dode ratten gevonden, met de staarten in elkaar verward.

'Een rattenkoning,' had opa gezegd.

Zo'n mooie naam voor een hoop vieze beesten.

'Wat betekent *ditty?*' vroeg De Wild.

Anouk schrok op.

'Het is ook altijd hetzelfde liedje,' zei hij ijzig. Hij lachte als enige om zijn grapje. 'Deuntje, wijsje. En *vermin?*'

Anouk zuchtte opgelucht. 'Ongedierte. Ratten.'

Het was pauze.

Hij stond tegen de muur van de gymzaal, zijn benen lichtjes gebogen. Spijkerbroek, openhangende leren jas. Cool, stoer, relaxed.

Alle meiden keken naar hem.

'De nieuwe. Zit in de eindexamenklas. Hij heet Max.'

'Mooie jongen,' zei Laura.

'Ik zag hem eerst.' Anouk.

'Nietes.' Laura gaf haar een por. 'We zagen hem tegelijk.'

'En nu?'

Ze keken elkaar aan en lachten. Toen staarden ze weer naar de mooie jongen.

Anouks hart begon in een hogere versnelling te kloppen.

Het was of de zon ineens begon te schijnen, het hele schoolplein werd verlicht. Roze licht. Met Max erin als middelpunt.

'De eed telt niet,' zei Laura.

Ja, ja, dacht Anouk. Laura was een lookalike van Maxima en het koninginnetje van de klas. Ze hoefde geen thee-blaadjes te lezen om de afloop te kunnen voorspellen. Heel eventjes hoopte ze dat Laura een ernstige vorm van acné zou krijgen. Toen was het over.

'Nee,' zei ze. 'Telt niet.' Ze hield van Laura en had alles onder controle.

De eed dateerde van het jaar dat ze in de brugklas zaten.

'Je moet meteen komen,' had Laura door de telefoon ge-zegd. In haar stem klonken tranen.

Anouk was op haar fiets gesprongen en had zich in het zweet getrapt. Hijgend belde ze aan.

Laura's moeder deed in begrafenisstemming open. Haar gezicht was rood en vlekkerig, haar ogen waren gezwol-len.

'O, ben jij het.'

'Dag, Irene. Lau heeft gevraagd of ik kwam.'

Het was behoorlijk donker in de kamer. De gordijnen waren dicht en overal walmde wierook en brandden kaar-sen. Op tafel lagen tarotkaarten op een slordige stapel en uit de cd-speler kwamen walvisgeluiden. Rustgevend vol-gens Irene, maar Anouk vond het eerder wanhopig klinken.

'Laura is boven.' Irene ging zitten en wreef over haar voorhoofd. Meestal droeg ze van die vrolijke Indiase jur-ken met spiegeltjes erop geborduurd, maar vandaag had ze een vormeloos geval aan en leek ze zelf op een wanho-pige walvis.

Anouk roffelde de trap op en bleef bij de slaapkamer van Laura staan. Op de deur hing een bord met *verboden toegang* erop, versierd met hartjes en bloemetjes. Later zouden het bliksemschichten en doodskoppen worden.

'Lau!'

De deur zwaaide open en Laura trok haar naar binnen. Ze ploften op het bed.

'Wie is er dood?' vroeg Anouk.

'Niet dood, weg.' Laura schopte tegen haar kussen. 'Chris.'

Chris was haar stiefvader, Irene had hem twee jaar geleden ontmoet op yogales. Zij had vooral yin, hij yang en dat ging perfect samen. Voor eventjes dan.

'De klootzak is er met een ander vandoor. Hij kan het niet helpen, zegt hij, de sukkel is verliefd. En dat is het ergste nog niet.' Laura hapte naar adem.

'Wat dan?'

'Zijn nieuwe liefde is Maria. De schijnheilige trut!'

Ai. Anouk kende Maria wel, Irenes beste vriendin. Maar dat zou met onmiddellijke ingang wel voltooid verleden tijd zijn.

'Ik vind het zo erg voor Irene.'

Anouk knikte. 'Vandaar die walvissenmuziek.'

'En dat noemt zich een vriendin.' Laura pakte haar hand vast. 'Zoiets zou jij me nooit flikken.'

Ineens stond ze op en ging als een wervelwind door de kamer. 'We gaan het zweren.' Ze rommelde in de la van haar bureau, haalde een zakmes te voorschijn en knipte het open.

Anouk vergat adem te halen.

Laura drukte het lemmet tegen haar duimtop, zoog lucht

door haar tanden en maakte een sneetje. Een druppel bloed piepte naar buiten.

'Nu jij.'

Anouk staarde naar het mes. Straks kreeg ze bloedvergiftiging, of nog erger, aids. 'Kunnen we het niet gewoon beloven?'

'Ik ben in één klap half weeskind, Irene is haar man en haar beste vriendin kwijt en jij schijt al in je broek bij een beetje bloed?'

'Oké, oké,' suste Anouk, maar ze wilde niet kijken. Ze hield Laura haar hand voor en draaide haar hoofd weg. Laura zette het mes op haar duim. Het metaal was zo koud dat Anouk kippenvel kreeg.

'Shit.' Het sneetje deed gemeen zeer.

'Viel mee, hè?' Laura smeet het mes op haar bureau. 'Nu drinken we van elkaars bloed.'

Anouk kreeg het nog benauwder. 'Hallo, ik ben geen vampier.'

Maar Laura stak de duim al in haar mond en zoog.

Net zoenen, dacht Anouk, maar dan heftiger. Alsof ze een stukje van mijn geest opeet.

Toen was het haar beurt. Aarzelend deed Anouk haar lippen van elkaar en sabbelde op Laura's duim. Het bloed smaakte zoet. Ze werd misselijk en duwde de hand weg.

'En nu de belofte.' Laura keek haar doordringend aan. 'We pikken nooit elkaars vriend af.'

'Nooit.'

'En als we op dezelfde jongen verliefd worden, spreken we het volgende af...'

'Wat?'

'Wie hem het eerst ziet, mag hem hebben.'

Ze zwoeren het met de hand op hun hart.

De zoemer snerpte. De meeste meiden bleven staan en keken afwachtend naar Max. Pas toen hij naar binnen ging, liepen ze achter hem aan. Anouk moest aan de rattenvanger van Hamelen denken.

'Max speelt gitaar,' vertelde Kim, die bij hen in de klas zat. 'Hij wil een band beginnen.'

Anouk baalde dat ze nooit muziekles had genomen. Haar moeder was een virtuoos op de piano en had geprobeerd haar ook zover te krijgen. Maar Anouk vond klassieke muziek gepingel waar je hoofdpijn van kreeg, dus had ze vriendelijk bedankt. Popmuziek was natuurlijk heel wat anders.

'Maurice doet in elk geval mee, hij heeft een drumstel,' ging Kim verder. 'Ze moeten alleen nog een plek hebben om te oefenen.'

'Gaan wij een keer kijken,' zei Laura. 'Maurice zit in onze klas, dat is een goeie smoes.'

Anouk luisterde nauwelijks, maar haar hersens kookten bijna over. In opa's schuur was plaats genoeg, hij gebruikte hem alleen om tuinstoelen en gereedschap op te slaan. En de volkstuin lag zo ver weg, dat niemand last van de muziek zou hebben. Na schooltijd ging ze het vragen.

2

'Anouk,' zei opa blij. 'Dat is lang geleden.' Bij zijn ogen verschenen lachrimpeltjes.

Het speet Anouk dat ze niet eerder naar de volkstuin was gegaan.

'Snap ik best, hoor.' Hij gaf een tikje op haar wang. 'Als je vijftien bent, zijn vriendjes en uitgaan belangrijker dan een ouwe opa.'

Dat was het fijne aan hem. Hij had geen pendels of tarotkaarten nodig om je te begrijpen.

'Ik maak even dit rijtje af en dan drinken we thee.' Hij schoffelde verder tussen de tuinbonen.

De volkstuin was zijn lust en zijn leven, maar Anouks moeder klaagde vaak dat het werk te zwaar voor hem werd.

'Beter bezig in de gezonde buitenlucht dan voor het raam op de dood zitten wachten,' zei opa dan.

Anouk gaf hem groot gelijk. Als haar moeder wilde zaniken, moest ze de stichting Korrelatie maar bellen.

Ze ging op het kistje zitten dat opa altijd op het pad met zich mee heen en weer verhuisde. Hij gebruikte het om erop uit te rusten en er zijn sigaartje te roken.

A pleasanter spot you never spied... Ze was vergeten hoe mooi het hier was. Weilanden, zo ver je kon kijken en de lucht zo helder blauw dat hij pas gewassen leek. Schapenwolken dreven voorbij. Sommige leken op schepen of reuzen en die ene was net een gitaar.

Max. Ze proefde het woordje als een suikerklontje op haar tong. Opa móest het goedvinden, desnoods zou ze voor hem op haar knieën gaan.

'Zo.' Hij stak de schoffel in het zand en veegde met een zakdoek zijn voorhoofd af. 'Tijd voor thee.'

Gearmd liepen ze naar de tuinbank onder de kersenboom. De thermoskan stond al klaar.

'Haal jij een extra kopje uit de schuur?' vroeg opa.

Haar ogen moesten aan het schemerdonker wennen. Ze pakte een stoffig kopje van de plank en veegde het schoon met haar mouw. Als de jongens hier kwamen repeteren, zou ze de boel eerst opruimen. Ze grinnikte. Ze leek haar moeder wel.

'Hoe is het op school?' vroeg opa toen ze naast hem op de bank zat.

Hij schroefde de dop van de kan en schonk thee in. Ze dronk met voorzichtige teugjes.

'Gewoon. Saaie leraren en bendes huiswerk.'

'Maar?' zei opa.

Ze voelde dat ze kleurde. 'Hoezo maar?'

'Je bent niet voor niets hiernaartoe gekomen.'

'Er is een jongen, Max.'

'Aha.' Opa's ogen twinkelden.

'Hij speelt gitaar in een band.'

'Betoverd door een muzikant.' Opa grijnsde. 'Popsterren hebben altijd een onweerstaanbare aantrekkingskracht op meisjes.'

'Hij is heus nog geen popster. Hij heeft niet eens een plek om te oefenen.'

'Er is altijd wel ergens een garage te vinden.'

'Of een schuur,' flapte ze eruit.

'Je bedoelt...' Hij krabde in zijn laatste haren. 'Ik weet

het niet, hoor. Ik ben erg op mijn rust gesteld. Die muziek van tegenwoordig.'

'Ze komen pas als jij naar huis bent, dan heb je er geen last van.'

Hij zweeg en zoog aan zijn sigaar, alsof hij zo beter kon nadenken. 'Dat vriendje van jou, die Max...'

'Hij is mijn vriendje niet.' Jammer genoeg.

Opa schudde zijn hoofd. 'Ik wil geen vreemde jongens op mijn terrein. Dat wordt bier drinken en met hun scooters en fietsen over mijn aardappelveldje rijden. Vroeger ging het precies zo, alleen hadden we toen opgevoerde brommers.'

Ze pakte zijn eeltige hand vast. 'En als ik nou bij iedere repetitie ben? Dan pas ik op de volkstuin. Ik beloof je dat er niets mee gebeurt.'

Hij kneep zijn ogen tot spleetjes. 'Is het zo belangrijk voor je?'

Ze gaf hem een zoen op zijn stoppelige wang. 'Ja.'

'Vooruit dan,' zei hij. 'Maar als het me niet bevalt...'

'Afgesproken.' Ze kon niet meer stil blijven zitten, haar lijf zat ineens vol wriemelbeestjes. 'Ik haal de verrekijker uit de schuur.'

Toen Anouk thuiskwam, schoof haar moeder net een stoofschotel in de oven.

'Waar heb jij al die tijd uitgehangen?'

Mama moest eens ophouden haar neus in andermans zaken te steken. Het ontbrak er nog maar aan dat ze een detective inhuurde om Anouks gangen na te gaan.

'Bij opa.' Het verbaasde Anouk hoe vriendelijk haar eigen stem klonk. Als je verliefd was, kon je blijkbaar heel wat hebben.

Haar moeder duwde een verdwaalde haarpiek achter haar oor. 'Ik heb het er gisteren met je vader over gehad. We kopen een gsm voor je, dan hoef ik me niet zo ongerust te maken. Hoe vaak fiets jij niet over een verlaten weg? Er lopen genoeg gekken rond.'

Anouk zag het al voor zich: een enge vent rukt haar van haar fiets en zij vraagt of ze eerst even mag telefoneren. Maar een eigen mobiel wilde ze wel. Geen gezeik meer als ze te lang met Laura aan de lijn hing.

'O ja, of je Laura terug wilde bellen. Het was belangrijk.'

Anouk was al op weg naar de telefoon. 'Kon je dat niet eerder zeggen?'

'We gaan zaterdag naar de Crypte,' tetterde Laura.

'O.'

'Die discotheek op de Buitenweg!'

Anouk hield de hoorn een stukje van haar oor om niet helemaal doof te worden.

'Gothicparty met Clan of Xymox.'

Anouk luisterde liever naar De Dijk. Liefdesliedjes. Max.

'En weet je wie er ook heen gaat?' vroeg Laura.

Sinterklaas, de paus, Frankenstein, kon haar het schelen. Anouk kende die wazige feesten wel. Als Laura in trance was, viel er geen normaal woord meer met haar te wisselen.

'Max.'

Nu mankeerde er echt iets aan haar oren.

'Maurice heeft hem meegevraagd. Ik heb het van Kim.'

MAX. Max ging mee. De vloer leek te kantelen, Anouk greep het telefoontafeltje vast.

'Halloooo!' zei Laura. 'Ben je er nog?'

Ja, ze was er nog. Haar bloed stroomde met de vaart van een hogesnelheidstrein door haar aderen. 'F-f-fantastisch,' stamelde ze.

3

Ze had haar donkerpaarse broek aangetrokken met een truitje van haar moeder en alleen haar ogen opgemaakt.
'Kind, wat word je groot,' zei haar moeder, alsof Anouk de afgelopen vijf jaar op vakantie was geweest. Ze probeerde zich in een nauwsluitende avondjurk te wurmen, maar je kon zo al zien dat de rits met geen mogelijkheid dicht zou gaan. De vader van Anouk kwam binnen en rammelde ongeduldig met de autosleutels.
'Schiet op, Loes. Straks is het feest al voorbij.'
Met een zucht gooide Anouks moeder de jurk op het bed en ze viste een andere uit de kast. 'Waarom ben ik in vredesnaam met een zakenman getrouwd?'
Anouks vader hielp haar met het knoopje op haar rug. 'Omdat ik onweerstaanbaar ben, natuurlijk.'
'Pfff.' Ze schoof in schoenen met onmogelijk hoge hakken. 'Die bedrijfsfeestjes zijn vrouwonvriendelijk. Wat is er mis met een spijkerbroek?'
Anouks vader floot tussen zijn tanden. 'In die jurk maak je veel meer indruk op Van Voorden.'
'Van Voorden is een zelfingenomen kwal.' Ze wees naar de autosleutels. 'Dus jij rijdt vanavond? Als ik kan drinken wordt het tenminste nog een béétje lollig.'
'Eerlijk zullen we alles delen. Ik rijd heen en jij terug.'
Hij had advocaat moeten worden, dacht Anouk. Hij kletst zich overal uit.
Haar moeder keek naar Anouk en gaf haar De Blik. Die

ene keer dat Anouks vader naar huis zou rijden, had hij toch te veel gedronken en hadden ze een taxi moeten nemen.

Beneden ging de bel.

'Laura,' zei Anouk. 'Ik ben weg.'

'Niet te laat thuis,' riep haar vader haar na. Dat zeiden ze nou nooit tegen Jelle. Haar broer kon met een gerust hart om drie uur 's nachts uit het poolcafé rollen, alleen omdat hij een jongen was. Over vrouwonvriendelijk gesproken.

Ze liet haar blik door de bomvolle Crypte glijden. Wat een spookhuis, het zou een wonder zijn als ze Max hier vond.

Een rookmachine blies een geheimzinnige mist de zaal in. Angels and Agony krijste uit de geluidsboxen en de menigte deinde als een reusachtige poliep op en neer. Geen kleurige bloesjes zoals je ze in café Zannetti zag, maar zwarte jurken en jassen tot op de grond. Dansende zombies met bleek geschminkte gezichten en een overdosis kohlpotlood rond de ogen.

Laura zag eruit als een engel des doods in haar lange jurk met flapperende mouwen. Zelfs haar lippen waren zwart.

'Kom,' zei ze. 'We hebben bij de bar in de kelder afgesproken.'

Anouk kon haar wel zoenen, ondanks die lippen.

Ze hielden elkaars hand vast om elkaar niet kwijt te raken. Warme ruggen botsten tegen hen aan en cola pletste uit een glas op hun schoenen. Anouk stikte bijna en was het liefst naar buiten gerend, de frisse lucht in. Maar voor Max zou ze zelfs met blote voeten over hete kolen lopen. Via de trap kwamen ze in de kelder, waar snoeren met pietepeuterige lampjes nog een beetje licht in de duisternis verspreidden. Maurice zat aan de bar met zijn rug naar hen toe. Kim, in een minuscuul glittertopje, leunde op zijn schouder. Anouk voelde een steek in haar buik. Waar was Max? Ze telde twee cola en een biertje, naar de wc misschien?

Terwijl ze elkaar begroetten, gluurde Anouk stiekem naar de deur van de toiletten. Toen die openging, kwam er een tunnel van licht naar buiten. Daar was Max, en hij leek helemaal niet op een zombie. Bloedmooi was hij, in zijn zwarte spijkerbroek en shirt, het eeuwige leren jack eroverheen. Anouk hoorde zichzelf zuchten. Laura gaf haar een kneepje in haar hand.

'Laura, Anouk,' stelde Maurice hen voor. 'Zitten bij mij in de klas.'

Een bliksemschicht sloeg van Anouks hand door haar arm, recht naar haar buik, toen hij haar even aanraakte. 'Max.'

Ze wilde iets gevats zeggen, iets wat zijn interesse zou wekken, maar haar hersens waren in pudding veranderd en haar tong lag als een slak in haar mond.

'Je speelt gitaar, hè?' vroeg Laura.

Anouk kon haar wel villen. Max keek alleen nog naar haar.

'Mmm. Ik heb een Amerikaanse Vintage '57 Stratocaster van mijn vader geërfd. Thuis draaien we altijd jaren zestig muziek. Toen ik nog een baby was, wist Procol Harem mij al stil te krijgen.'

Ze voelde zich buitengesloten. Een stomme, slome pop. Kim trok Maurice aan zijn arm. 'Ik wil dansen.'

Ze verdwenen in het gewoel.

Anouk hoopte dat Laura moest plassen. Of toch maar niet, alleen met Max zou ze ter plekke flauwvallen.

'Hoe staat het met de band?' Laura vroeg maar door, als-of ze thuis een enquête had voorbereid.

'We zijn al met zijn drieën. Maurice kent nog iemand met een keyboard.'

'Mijn moeder speelt piano,' zei Anouk. Meteen kon ze zichzelf wel slaan. Nu dacht hij zeker dat ze een suf ko-nijn was.

Hij keek haar aan. 'En jij?'

Misschien had hij een zwak voor konijnen. Gelukkig was het nogal donker, anders zou hij zien dat de vlammen haar uitsloegen.

'Ik speel niks.' Stom stom stom. Straks dacht hij nog dat ze niet van muziek hield.

'Maar ze kan goed zingen,' zei Laura gauw. 'En ik ook. Dus als je een achtergrondkoortje nodig hebt?' Ze haal-de haar portemonnee uit de zak van haar jurk. 'Jullie ook iets?'

'Ik heb nog.' Max wees naar zijn bierglas. Lange, dunne vingers.

'Rumcola.' Anouks stem klonk schor.

Laura praatte met de jongen achter de bar. Dit was het moment om over de volkstuin te beginnen. 'Heb je al…'

Haar woorden verdwenen in het lawaai. Het publiek floot, stampte en juichte. Clan of Xymox kwam het po-dium op en algauw mishandelden zware technobeats Anouks oren.

Een lang en veel te slank meisje stapte op Max af en glimlachte. Tandpastareclame.

Dansen? vormde ze met haar mond.

Max wierp Anouk een hulpeloze blik toe en liet zich meeslepen.

Kans verkeken.

'Hier.' Laura hield haar een glas voor en Anouk nam snel een paar slokken.

'Waar is Max?'

'Dansen,' schreeuwde ze in Laura's oor. 'Een sexy pitbull heeft haar tanden in hem gezet.'

'Een mooie jongen heb je nooit alleen.' Laura zuchtte dramatisch. 'Kom mee, die band is waanzinnig goed.'

Er was nauwelijks ruimte om te bewegen. Dit keer vond Anouk het niet erg, zo viel het minder op dat ze de motoriek van een nijlpaard had.

Laura had haar ogen gesloten en zat met haar gedachten ergens op Mars. Max en het meisje dansten dicht tegen elkaar aan. Een kluwen van armen en benen en lijven. Net een rattenkoning.

Anouk was blij toen de band eindelijk pauzeerde.

'Nog wat drinken?' vroeg Max. Hij zat op de barkruk en Anouk stond zo dichtbij dat ze de warmte van zijn knieën kon voelen.

'Lekker.' Ze was aangeschoten. Dronken van liefde en rumcola.

Hun vingers botsten toen hij haar het glas gaf. De nagels van zijn rechterhand waren langer dan die van zijn linker.

'Heb je al repetitieruimte?' Ze probeerde stoer te klinken.

Hij schudde zijn hoofd, zijn haren schudden mee en ze stelde zich voor hoe het zou zijn als ze daar haar vingers als visjes doorheen kon laten zwemmen.

'Mijn opa heeft een volkstuin met een schuur erop. Als je wilt, kun je daar oefenen.'

'Vindt hij dat goed?'

Ze knikte en schoof een paar centimeter dichterbij. 'Als ik erbij ben wel.'

Ze spraken af dat hij dinsdag na school zou komen kijken. Anouk schreef het adres op een bierviltje en tekende er een plattegrondje bij. Toen keerden Maurice en Kim terug van het piercingstandje en Laura kwam uit de wc. Kim liet het knopje in haar tong zien.

'Deed het niet vreselijk zeer?' vroeg Laura bewonderend.

'Volgens mij zoent dat extra lekker,' zei Maurice.

Max keek naar Kim alsof hij het meteen wilde uitproberen. Anouk probeerde de rest van de avond te blijven glimlachen. Ook al deden haar mondspieren er pijn van.

4

'Alleen voor noodgevallen,' zei haar moeder. 'Die kaarten met beltegoed kosten een vermogen.'

Het was een zilvergrijs mobieltje. Anouk maakte een dansje door de kamer. Als Max ernaar vroeg, zou ze hem haar eigen nummer kunnen geven en Jelle zou nooit meer een gesprek kunnen afluisteren.

'Wel even proberen of hij het doet.' Ze nam de gsm mee naar haar kamer en toetste Laura's nummer.

'Ze is er niet,' zei Irene. 'Ze ging naar de bibliotheek.'

Laura las handen en tarotkaarten, maar zelden boeken. Dus er werkte een leuke jongen in de bieb óf ze was per ongeluk door haar moeder gehypnotiseerd.

Met de mobiel in haar jaszak fietste Anouk naar de bibliotheek, een modern gebouw met veel glas en een chagrijnig mens achter de uitleenbalie.

Laura stond bij de afdeling parapsychologie. 'Hoe wist je dat ik hier was?' vroeg ze verbaasd.

'Telepathie,' zei Anouk en ze liet haar nieuwe mobiel zien.

'Handig. Ik ga er ook een aan Irene vragen. Kunnen we 's avonds in bed stiekem bellen.' Laura trok een boek uit het rek. '*Liefde en hekserij*, hier moet het in staan.'

'Wat?'

'Hoe je liefdesdrank maakt, natuurlijk.'

Liefdesdranken, toverfluiten. Ging het maar echt zo gemakkelijk.

'En jij gelooft daarin?'

Laura bladerde door het boek. 'Baat het niet, dan schaadt het niet. Hier: *de beste liefdesdrank maak je met verbena, de bessen van de maretak en het zaad of de bloemen van de alantswortel. Nadat je alles in de zon hebt gedroogd, laat het zich gemakkelijk tot poeder verpulveren. Strooi het poeder in wijn en geef het glas aan je geliefde. Als hij ervan drinkt, zal zijn hart zich onmiddellijk voor je openen.'*

'Zo onschadelijk klinkt het niet. Wat als je hem per ongeluk vergiftigt?'

Laura trok een rimpel in haar voorhoofd. 'Het grootste probleem is verbena vinden. Nooit van gehoord. Groeit zeker niet toevallig in jullie achtertuin?'

Anouk haalde haar schouders op. 'Weet ik veel. Moet je aan mijn opa vragen. Wie is trouwens de gelukkige?'

Eigenlijk wist ze het antwoord al.

'Max.'

Anouk hoopte dat de verbena lang geleden was uitgestorven.

'Dit is beter.' Laura racete met haar vinger langs de regels. *'Een andere liefdesdrank die zijn werking al eeuwenlang heeft bewezen, is samengesteld uit viooltjes, koriander en valeriaan.'*

'Volgens mij zijn er nog geen viooltjes,' zei Anouk. 'Je zult nog een maandje moeten wachten.'

'Shit.' Laura klapte het boek dicht en zette het terug in de kast. 'Zou het ook met krokussen kunnen?'

Kro-kussen, Max kussen...

Laura liep al naar de uitgang. Anouk griste het boek uit de kast en hield het achter haar rug. Misschien stonden er nog meer versiertips in. Ze gaf haar bibliotheekpas aan de vrouw achter de balie en liet het boek scannen. Daarna stopte ze het onder haar jas.

'Waar bleef je?' vroeg Laura ongeduldig, toen Anouk naar buiten kwam.

De liefdesdrank die het beste werkt, wordt niet gemaakt van planten of kruiden, maar bestaat uit mens' eigen bloed. Maak een sneetje in de hand en pers enkele druppels bloed naar buiten. Laat deze in de wijn vallen, die de geliefde zal drinken. Zodra jouw bloed zich met zijn lichaam vermengt, zijn jullie harten voor eeuwig met elkaar verbonden.

Wat een onzin. Anouk schoof het boek onder haar kussen. Als dit werkte zouden Laura en zij na de bloedeed verliefd op elkaar zijn geworden. Ze had zich alleen misselijk gevoeld.

Trouwens, Max dronk bier. Geen rode wijn.

De dinsdag duurde veel te lang.

'Wat zit je steeds naar buiten te kijken?' vroeg Laura.

Ze vertelden elkaar altijd alles, maar nu speelde Anouk voor Willem de Zwijger. Als ze Laura meenam, wist ze precies hoe het zou gaan. Laura's mond werkte sneller dan haar hersens. Max zou Anouk niet meer zien staan.

'Zullen we straks pendelen? Ik heb een paar vragen voor jeweetwel.' Laura knipoogde.

'Kan niet. Ik ga naar opa.'

Laura voelde aan Anouks voorhoofd. 'Ben je wel lekker? Eerst ga je een halfjaar niet en nu twee keer binnen een week.'

'Ik heb beloofd hem te helpen. Hij heeft last van zijn rug.'

Anouk dook naar haar schoen en strikte de veter opnieuw. De Wild kwam binnen en meteen was het stil. 'Opstel,' zei hij. 'Je kunt deze les beginnen, de rest is huiswerk. Volgende week maandag inleveren.'

Laura kreunde en stak haar vinger op. 'Moet het per se in het Engels?'

De Wild maakte snuivende geluiden. 'Zijn er ook nog intelligente vragen?'

Die waren er niet. Zwijgend ging iedereen aan het werk.

Anouk fietste zo hard dat ze veel te vroeg in de volkstuin was. Opa zat op de bank een sigaartje te roken.

'Hij komt zo kijken,' zei ze buiten adem.

'Wie?'

'Nou…'

Hij grijnsde van oor tot oor.

'Je houdt me voor de gek.' Ze gaf hem een elleboogje.

Hij hield zijn hoofd scheef en keek haar aan. 'Je bent ver-liefd. Het straalt er aan alle kanten vanaf.'

'Mmm.' Ze hield de weg in de gaten. Geen fietser te zien, alleen een oud volkswagenbusje kwam knetterend dich-terbij. Toen het busje vaart minderde en tenslotte bij het hek stopte, kreeg ze kramp in haar buik. Een lange jon-gen met rood haar stapte uit.

'Is dat hem?' vroeg opa.

'Nee.'

Toen het andere portier openging, stond haar hart met-een stil.

'Dat is hem.'

Na Max kwam Maurice achter uit het busje, hij sloeg met zijn vuist op het dak.

'Hij heeft zijn hele familie meegebracht,' zei opa.

Verdorie, ze had Laura net zo goed mee kunnen vra-gen.

'Anouk!' Max en Maurice staken hun hand op en liepen de volkstuin in. De jongen met het rode haar volgde hen op een afstandje en vond grassprietjes blijkbaar erg interessant.

Opa gaf haar een duwtje in hun richting. 'Zet hem op.'

'H-h-hoi,' stuntelde ze. 'Dit is mijn opa. Max, Maurice en...'

'Joost.' Hij verschoot van kleur, waardoor zijn gezicht en haar vreselijk vloekten. 'Keyboard.' Zijn ogen gleden meteen terug naar de grond.

'Tof dat we hier kunnen repeteren,' zei Max.

'Laat jij de schuur zien?' Opa kneep in haar schouder.

De schuur leek kleiner en voller, nu ze met vier mensen binnen waren.

'Als we alles in een hoek zetten, is er plaats genoeg,' zei Anouk gauw.

Maurice morrelde aan de deur. 'Inbraakgevoelig. Er moet een nieuw slot op, anders kunnen we naar onze instrumenten fluiten.'

Waarom deed Max zijn mond niet open? Hij vond het natuurlijk niks, dit krakkemikkige schuurtje vol oude troep. Anouk kruiste haar vingers achter haar rug en deed een schietgebedje.

'Er is toch wel stroom?' vroeg Max eindelijk. 'Mijn elektrische gitaar kan niet zonder.'

Anouk zocht het lichtknopje. 'En hier is een stopcontact.' Ze stuurde een bedankje naar boven, naar oma die al vijf jaar dood was. Voor haar had opa elektriciteit laten aanleggen, zodat ze ook bij somber weer binnen kon lezen. Oma hield er niet van om in de aarde te wroeten, maar was gek op doktersromannetjes.

Max roffelde met zijn vuisten op de muur. 'Oké dan. Ik spreek even met je opa af wanneer we de spullen kunnen brengen.'

Anouk moest haar best doen om niet in indianengehuil uit te barsten.

Toen de jongens weg waren, hielp ze opa met wieden. Ze ging op haar hurken tussen de plantjes zitten en trok gedachteloos sprietjes uit de grond. Max had er vast geen idee van dat ze hem zo leuk vond, anders was hij wel alleen gekomen. Maar hoe kon ze hem dat laten merken zonder zich er een buil aan te vallen? Soms had ze een hekel aan zichzelf. Doodliggen en verrijzen, ze wilde dat het echt kon. Van een stekelige rups in een vlinder veranderen. Maar haar buitenkant was als een te kleine jas die ze niet uit kon trekken, al deed ze nog zo haar best. Hoe konden anderen dan weten wat er vanbinnen zat? Opa was de enige die overal doorheen prikte. En Laura, soms. Maar nu het om Max ging, was er iets tussen hen veranderd. Ze hadden altijd gedubbeld en nu stonden ze ineens tegenover elkaar.
Met haar vuisten stampte ze het onkruid dieper in de emmer. Ze wilde geen ruzie met Laura. Resoluut klopte ze het zand van haar handen en pakte haar mobiel.

5

'Smiecht,' zei Laura. 'Om mij niets te vertellen.' Ze gooide een kussen naar Anouks hoofd.

'Sorry, ik zal het nooit meer doen.' Anouk deed de deur dicht en ging in de bureaustoel zitten. 'Je hebt niets gemist. Ze kwamen met zijn drieën.'

Laura trok haar wenkbrauwen op. 'Niets gemist, zegt ze dan. Een triootje!'

Anouk deed of ze haar vinger in haar keel stak en moest overgeven.

Laura grinnikte, maar daarna vroeg ze serieus: 'Waarom heb je niet gewoon gezegd dat je verliefd op Max bent?' Alsof het niet in neonletters op haar gezicht stond geschreven. Als Laura iets niet wílde zien, kreeg ze acuut een aanval van blindheid.

'Je vertelde steeds hoe leuk jij hem vond. Drie keer raden wie van ons tweeën zou winnen.'

Laura gaf haar een stomp. 'Je moet jezelf niet zo onderschatten. Er zijn zat jongens die jou leuk vinden.'

'Alleen Max is wel genoeg.'

'Ik heb nog nooit zo'n stuk gezien.' Laura tuitte haar lippen.

'Wat zou hij van ons vinden?'

'Geweldig natuurlijk. Wie niet?' Laura pakte een essenhouten kistje van de vensterbank. In het deksel was een reliëf uitgesneden van Freya, de Noordse godin van de liefde, vruchtbaarheid en magie. 'Maar we kunnen het de pendel vragen.' Ze haalde hem uit het kistje, een heldere kwartskristal aan een nylondraadje. 'Vraag één: wat vindt Max van Anouk?' Ze zweeg even om de spanning op te voeren.

'Als hij stil blijft hangen, vindt hij haar een trut. Maakt hij een cirkelende beweging naar links, dan vindt hij haar aantrekkelijk; naar rechts: dan is hij stapelverliefd. Slingerbeweging van noord naar zuid: hij vindt haar aardig; van oost naar west: hij wil wel praten, maar niet zoenen.'

Alsof ze voor een multiplechoicetoets op moest. Anouk was bang dat ze zou zakken.

'Concentreer je.' Laura hield het draadje tussen duim en wijsvinger.

Shit, de pendel hing doodstil.

Maar toen begon hij zachtjes van noord naar zuid te slingeren. Pffff.

Daarna was Laura aan de beurt. Bij haar draaide hij natuurlijk naar rechts. Doorgestoken kaart? Of deed de pendel wat je onbewust wenste? Volgens opa kon alles, als je maar hard genoeg wilde.

Anouk wilde met haar hele lijf.

Ze waren een hele middag bezig geweest met het opruimen van de schuur. Tuinstoelen met kapotte zittingen, een hark met een gebroken steel, lege flessen, alles verdween in de container. Anouk had net een lading oude kweekbakjes weggebracht, toen ze opa met het beeldje van een ballerina op de bank zag zitten. Zijn knoestige vingers streken voorzichtig over het porselein. Ze schrok omdat hij ineens zo oud leek.

'Opa?' Ze legde haar hand op zijn schouder.

Verdwaasd keek hij op en knipperde met zijn ogen. 'Ik

was vergeten dat het hier stond.' Er zaten barstjes in zijn stem.

'Was het van oma?'

Hij schudde zijn hoofd. 'Van een meisje dat Emma heette. Ze was zo frêle dat je haar gemakkelijk kon optillen. En ze kon dansen als een engel... Iedereen werd er stil van.'

'Leeft ze nog?'

'Ik weet het niet. Het is veertig jaar geleden dat ik haar heb gezien.' Hij stond op en schuifelde de schuur in. Voorzichtig zette hij de ballerina op de plank bij het raam en pakte de bezem.

'Dat doe ik wel,' zei Anouk.

Hij veegde stug door. 'Het is gezond voor bejaarde opa's om oude stofnesten op te ruimen.'

Die zaterdag verhuisden Max, Maurice en Joost hun muziekinstrumenten naar de schuur. Laura had er graag bij willen zijn, maar ze moest met Irene naar een of andere bijeenkomst waar moeders en dochters elkaar beter konden leren kennen.

De bandleden spraken af dat ze maandagavond voor het eerst zouden repeteren. Anouk schreef de hele zondag aan haar opstel en belde drie keer met Laura. Het toverwoord was Max.

6

'Ik ben dood als De Wild mijn opstel leest,' zei Laura paniekerig.

'Lever dan niets in.'

'In dat geval krijg ik een één en dat haal ik nooit meer op. Irene vermoordt me.' Ze beet op haar nagels. 'Waarom lijk ik niet wat meer op jou? Jij denkt tenminste na voordat je iets doet.'

Anouk wist best dat ze het niet meende, Laura deed wel vaker hysterisch. 'Laat eens lezen.'

Laura duwde een uitgeprint A-viertje in haar handen. Anouks ogen vlogen over de regels. Oei! De Wild moest wel oerstom zijn als hij niet doorhad dat het over hem ging. 'Misschien kan hij erom lachen.'

Laura deed of ze flauwviel. 'De Wild en lachen? Dat is net zo onmogelijk als over water lopen.'

De Wild haalde de opstellen op. Hij begon bij de achterste tafels. Hoe verder hij naar voren kwam, hoe bleker Laura werd. Ze trok het blaadje uit haar tas, stopte het weer terug en toen stond De Wild naast haar.

'M-m-mag ik...' stotterde Laura.

Hij trok spottend zijn wenkbrauwen op. 'Je gaat me toch niet vertellen dat het niet af is? Je weet wat dat betekent.'

'I-ik heb het wel af, maar vanmorgen kreeg ik ineens nieuwe inspiratie. Mag ik het overdoen?'

'Wat een ijver plotseling.' Zijn mond glimlachte, maar zijn ogen lachten niet mee. 'Weet je wat? Je levert dit nu in en morgen het andere opstel. Het beste telt.'

Laura was net een ballon die leegliep. Ze gaf hem het A-viertje. 'Laat maar,' zei ze tegen de tafel.

Anouk kon De Wild wel schieten.

Laura haalde Anouk op. Ze zag eruit als een indiaan op oorlogspad. Paarse veertjes in haar haren, felle oogschaduw en bloedrode wangen.

'Opstel is een verboden onderwerp,' zei ze strijdlustig. 'Net als alle woorden die met De Wild te maken hebben.'

Meestal fietsten ze langzaam, kletsend en slingerend, maar vanavond vlogen ze over het asfalt.

'Gewonnen!' riep Laura en ze stapte af.

Het volkswagenbusje van Joost stond er al, en uit de schuur kwam snoeiharde muziek. Ze parkeerden hun fietsen en liepen swingend naar de deur.

Laura stak haar duim op voordat ze naar binnen gingen. Basklanken dreunden via Anouks oren tot in haar borst, zodat haar hart op hol sloeg. Max speelde met zijn ogen dicht. Ze kon hem bekijken zonder dat hij het merkte. Hij hield zijn hoofd een beetje scheef en over zijn voorhoofd danste een zwarte krul brutaal op en neer.

Laura ging op opa's kistje zitten. Anouk bleef achter haar staan en kon haar ogen niet losrukken tot de gitaar voor de laatste keer jankte. Toen keek Max recht in haar gezicht en wist ze niet meer waar ze kijken moest.

Laura applaudisseerde. 'Lekker nummertje!'

'Leek nergens op,' zei Max. 'Opnieuw.'

Na een uur repeteren werden er blikjes bier en frisdrank opengetrokken.

'Hebben jullie al een naam voor de band?' vroeg Laura.

Maurice veegde het schuim van zijn mond. 'Shit, nee.'

'Leuke naam: shitnee.' Laura stak haar tong uit.

Max lachte en gaf haar een duwtje zodat ze bijna van het kistje tuimelde. 'Verzin jij dan iets beters.'

Ze pakte zijn arm vast en ging weer rechtop zitten. Een paars veertje bleef even aan Max' wang plakken en liet toen los. Laura was het stralende middelpunt, iedereen gaapte haar aan.

'Eh, Max en de minimonsters?'

Maurice sloeg met zijn trommelstok tegen zijn bierblikje. 'Max factory.'

'We zijn een band, geen schoonheidsinstituut.' Max keek peinzend naar zijn gitaar. 'Magic factory? Dat is wat muziek met je doet: je betoveren zodat je moet bewegen, of je wilt of niet.'

'Net als bij de rattenvanger van Hamelen,' zei Anouk.

Laura draaide zich om. 'Verboden onderwerp.'

Maar Max keek naar Anouk alsof hij haar voor het eerst zag. 'Precies.'

Joost liep naar zijn keyboard en drukte een paar toetsen in. Iedereen werd stil toen hij begon te zingen. 'Hey, come on, babe. Follow me. I'm the Pied Piper…'

'Wow,' riep Laura toen de laatste toon was weggeëbd.

'Pied Piper dus,' zei Max. 'Meteen ons openingsnummer.'

Joost viel terug in zijn grassprietjesact. Anouk wist niet wie van hun tweeën het hardste gloeide.

7

'Irene ook altijd met haar wondermiddeltjes.' Laura keek angstig naar de deur van de klas. 'Ik had me ziek willen melden, maar zij denkt dat een kopje geneeskrachtige kruidenthee beter werkt dan thuisblijven.'

Kim zag eruit alsof ze liters kruidenthee kon gebruiken. Ze hield haar hoofd met twee handen vast en kreunde zachtjes: 'Pijn.'

'Wat ruik ik toch?' vroeg Maurice.

Kims witte gezicht werd nu knalrood. 'Ik kon mijn tanden niet poetsen, dat deed veel te zeer.'

'Doe eens open,' zei Anouk.

Zodra Kim haar mond opendeed, kwam er een stankgolf naar buiten.

'Jemig, Kimmie. Je tong is twee keer zo dik.'

'Ontstoken,' concludeerde Laura. 'Je moet van dat knopje af.' Maar zodra ze met haar vingers in de buurt van de piercing kwam, begon Kim te kermen.

'Je moet een ontsmettingsmiddel kopen,' zei Anouk bezorgd.

'Zitten,' donderde de stem van De Wild opeens.

Laura was meteen weer bij de les. 'Shit,' fluisterde ze en ze probeerde haar gezicht achter haar lange haren te verbergen.

'Ik heb de opstellen gelezen.' De Wild haalde ze uit zijn tas. 'Sommige waren erg grappig. Dat van Laura bijvoorbeeld.'

Anouk ontspande, dat viel haar mee van De Wild.

'Ik heb me rot gelachen...' Zijn stem klonk vriendelijk. Zo vriendelijk was hij anders nooit.

Laura begon ongemakkelijk op haar stoel te schuiven, Maurice kuchte zenuwachtig en achterin de klas giechelde iemand. Alleen Kim had niets in de gaten, die had het te druk met haar hoofd vasthouden.

'...om al die stomme spel- en grammaticafouten.' De Wild keek Laura recht aan. 'Daarom krijg je een…'

Ploef! Kim zakte voorover op haar tafel. Haar armen hingen slap naast haar hoofd, haar ogen draaiden weg en uit haar mond liep een straaltje spuug.

Maurice knielde naast haar en wapperde met een zakdoek. 'Ze is flauwgevallen.'

Janna gilde en iedereen reageerde paniekerig. Alleen De Wild bleef ijzingwekkend koel. Hij gooide de opstellen op zijn bureau en was in recordtijd bij Kim. 'Laura, ga de directeur halen.' Hij voelde Kims pols. 'Water.'

Maurice was al bij de kraan en maakte de handdoek nat. Toen De Wild die als een worstje om Kims hals legde, kwam ze bij.

'Hoe kwam dat nou?' vroeg De Wild.

'Haar tong is ontstoken.' Maurice aaide over haar rug. 'Van die stomme piercing.'

De Wild haalde zijn autosleutels uit zijn broekzak. 'We brengen je naar de eerste hulp. Maurice, help even.'

Ze droegen Kim tussen zich in en strompelden naar de deur.

'Iedereen stil aan het werk,' riep De Wild nog achterom. 'De directeur komt zo.'

Maar niemand dacht nog aan werken. Ze keken door het raam tot de auto van De Wild was weggereden.

'Arme Kimmie,' zei Janna. 'Als ze maar niet doodgaat.'

'Doe niet zo debiel,' snauwde Anouk.

'Kan best, hoor.' Janna's stem klonk ongerust. 'Mijn tante had een beenwond toen ze van de fiets was gevallen. Het leek onschuldig, maar er kwam een of andere gevaarlijke bacterie in de wond en binnen een week was ze overleden.'

'Normaal gesproken gebeurt zoiets niet.' Maar Anouks hoofd draaide steeds hetzelfde filmpje af: Kim die haar piercing aan Max liet zien. Nooit zou ze nog jaloers zijn, als Kim maar beter werd.

Ze zaten in de kantine met lange tanden te eten.

'Nu weet ik nog niet wat voor cijfer ik heb.' Laura zuchtte. 'Is dat een goed teken?'

'Beter een onvoldoende dan halfdood zoals Kimmie,' zei Janna.

Anouk liet haar boterham in het trommeltje vallen. 'Daar is Maurice!'

Ze juichten hem toe alsof hij prins Willem-Alexander was. 'Hoe is het met Kim?'

'Ze leeft nog,' zei hij opgewekt. 'Alleen is iedereen in het ziekenhuis nu doof. Kim schreeuwde als een gek toen de piercing eruit werd gehaald. Ik moest haar vasthouden, anders had ze de dokter een blauw oog geslagen.'

Anouk zag weer voor zich hoe Kim slap als een vaatdoek over haar tafel hing. 'Ja, hoor.'

Maurice grijnsde. 'Ze kreeg een verdoving en het knopje was er zo uit. Nu mag ze thuis lekker uitslapen, met een stevige kuur voor drie weken.'

'Had ik maar zoveel geluk.' Laura stootte bijna haar thee om.

'Overdrijf niet zo.' Anouk had even genoeg van Laura's ego. 'Gevulde koeken om de goede afloop te vieren. Wie gaat er mee naar de bakker?'

Max stond op het schoolplein een sigaret te roken.
'Heb je het al gehoord van Kim?' vroeg Laura, terwijl ze haar hand op zijn leren mouw legde.
Nog even en ze kroop ín hem.
'Wat?'
'Nou…' Laura deed het verhaal nog eens dunnetjes over.
'Balen.' Max blies een rookwolkje. Het waaide in het gezicht van Anouk.
'Mag ik een trekje?' vroeg Laura.
Ze rookte niet eens! Anouk hoopte dat ze misselijk zou worden.
Toen Laura de sigaret teruggaf, zat er een rode afdruk op de filter.
Bijna kussen, dacht Anouk. 'We gaan koeken halen,' zei ze.
'Wil jij ook?' vroeg Laura aan Max.
'Als het negerzoenen zijn, wel.' Hij gooide de sigaret op de grond en drukte hem uit met zijn schoen. Zijn ene arm sloeg hij om Laura's schouder en de andere om die van Anouk. Zo liepen ze met zijn drieën naar de bakker. Anouk had meer het gevoel dat ze zweefde.

8

Anouk stond voor de spiegel en bekeek zichzelf. Het leek soms haar eigen lijf niet eens, aangezien er vanbinnen van alles gebeurde waar ze geen vat op had. Als Max naar haar glimlachte, begon er een complete fanfare in haar hoofd te schetteren. Maar zodra hij te veel naar Laura keek, veranderde ze in een lek geprikt ballonnetje.

Aan de buitenkant was niets te zien. Haar ogen waren nog even groen als anders en haar neus was nog altijd wipperig. Net zo'n neus als die van papa, liever had ze de klassieke rechte van haar moeder geërfd. Haar donkerbruine haren stonden rechtop: grappig, maar niets bijzonders. Ze was te ongeduldig om het te laten groeien. Maar als Max nou van lang haar hield...

Ze blies een ademwolkje op de spiegel en schreef er zijn naam in. MAXimumsnelheid. Boem boem boem, haar hartslag hield zich niet aan regeltjes. Ze glimlachte naar haar spiegelbeeld en draaide zich om. Al dagen zat dezelfde cd in de cd-speler. Ze drukte de knop in en De Dijk begon te zingen: 'Bloedend hart!'

Met opgetrokken benen ging ze op bed liggen. Zodra ze haar ogen dichtdeed, zag ze Max voor zich. Max en Anouk, Anouk en Max. Aan Laura wilde ze niet denken. Haar mobiel op het nachtkastje ging over. Anouk las de naam op de display. Met tegenzin zette ze de muziek zachter en hield de telefoon aan haar oor. 'Ja?'

'S.O.S.' klonk Laura's stem. 'Irene gaat morgen op gesprek bij De Wild.'

Het beeld van Max loste op. Langzaam keerde Anouk weer terug op aarde. 'Nou en? Leraren praten wel vaker met de ouders van hun leerlingen.'

'Maar De Wild heeft vast niets goeds te vertellen.'

'Irene is niet gek. Die gelooft heus niet alles wat hij zegt.'

Hoempf, deed Laura. 'Ze zei anders dat hij aardig overkwam door de telefoon. Aardig! Ik heb meteen de tarotkaarten geraadpleegd en trok zwaarden drie: het bewijs dat ik gelijk heb. Ramp!'

Anouk herinnerde zich de afbeelding van drie zwaarden die een hart doorboorden. De twee buitenste zwaarden perkten het middelste zwaard van de duidelijkheid in. Op de achtergrond waren donkere wolken getekend; het symbool voor twijfel en zorgen.

'Spanning in driehoeksverhoudingen,' zei Laura. 'Dat slaat natuurlijk op De Wild, Irene en mij. De eikel probeert vast tussen mij en mijn moeder te komen.'

'Wacht nou eerst maar eens af,' suste Anouk. 'Misschien maak je je voor niets druk.'

'Kom je morgen hier slapen?' vroeg Laura. 'Als jij er bent, houdt Irene zich wel in.'

'Oké. Ik zie je morgen.' Anouk legde peinzend de telefoon weg.

Driehoeksverhoudingen. Ze zag Max en Laura voor zich, hevig zoenend. Ze hoopte dat zij geen voorspellende gaven had. Misschien krijgt Laura huisarrest tot ze haar Engels heeft opgehaald, flitste het door haar hoofd. Ze schrok en smeet een haarborstel door de kamer. Hoe kon ze zoiets denken?

Ze hadden zich op de bank genesteld met hun voeten op de salontafel en hun hoofden dicht bij elkaar. Net zusjes, dacht Anouk. Tussen hen in stond een bak chips, waar ze af en toe in graaiden terwijl ze televisie keken.

Halverwege GTST sloeg de voordeur dicht.

'Daar is ze.' Laura schoot overeind.

Irene kwam met haar jas nog aan de kamer in. 'Wat een toeval. Hij is geen spat veranderd!' riep ze meteen. Ze trok haar jas uit en hing hem over de stoel. 'Nog steeds een prachtige aura.'

Laura staarde haar aan. 'Hoezo, niet veranderd? Ken je hem uit een vorig leven of zo?'

Irene rommelde in de kast en haalde een fotoalbum te voorschijn. 'Nee, van de havo. Toen hij ging studeren, hebben we elkaar uit het oog verloren. Nooit geweten dat De Wild en Jack één en dezelfde persoon zijn. Grappig, hè?'

'Ik lach me rot,' mopperde Laura.

'Hou op.' Irenes ogen werden twee smalle streepjes. 'Jack is zo aardig je een herkansing te geven.' Ze bladerde door het album. 'Als het nodig is, krijg je bijles, ik wil niet dat je blijft zi… Hier.' Ze liet een foto van pubers met rare haren en ouderwetse kleren zien. 'Havo drie.'

'Waar staat Jack?' vroeg Anouk nieuwsgierig. Ze giechelde toen Irene een lange slungel aanwees.

Laura zette de bak chips met een klap op tafel. 'We gaan naar boven.'

'Je mag het in elk geval overdoen.' Anouk lag op haar buik en ondersteunde haar hoofd met haar handen.

'Ze had het over bijles. Dat heeft ze echt niet zelf verzonnen.' Laura trok een la uit haar bureau en keerde hem om. Pennen en papier vlogen door de kamer, een paar kralen, een plakstift, ansichtkaarten en brieven. Laura viste een potje uit de troep en trok het dekseltje eraf. Er zat klei in, in allerlei kleurtjes. Ze nam er een geel staafje uit en rolde er een bolletje van.

'Anti-stressballetje?' vroeg Anouk.

Laura begon te kneden. Het bolletje werd een lijfje met twee armen en benen.

'Nee, voodoo.' Ze kneep een hoofdje met flaporen uit de klei en tekende er met potlood een gezichtje op, een sikje en een brilletje met ronde glazen.

'De Wild?' Anouk trok haar wenkbrauwen op.

'De zak.' Laura prikte met het potlood in de buik van het poppetje. 'Ik weet zeker dat hij op dit moment ineens buikpijn heeft.'

Anouk kreeg het koud. 'Doe niet zo eng. Stel je voor dat het werkt.'

'Net goed.' Laura stak het poppetje opnieuw.

Anouk stond op en probeerde het kleimannetje af te pakken. 'Als er echt iets met hem gebeurt, krijg je eeuwig spijt.'

Laura gooide het poppetje met een boog door de kamer. 'Schijtlijster.'

'Heks!' Anouk raapte de miniatuur De Wild op. Het rechterbeentje was gebroken. 'Kan dat kwaad?'

Laura lachte vals. 'Als hij in het gips zit, krijgen we misschien wel een vervanger.'

'Tenzij het loopgips is.' Anouk frommelde de klei in elkaar. 'En nu ophouden. Anders help ik je niet met je opstel.'

9

Jack de Wild had kennelijk niet onder de voodoopraktijken geleden; zijn tred was nog energieker dan anders. 'Hij loopt als een kievit,' fluisterde Anouk opgelucht.

'Wat niet is kan nog komen,' zei Laura.

'Het koffie-uurtje is voorbij.' De Wild zette zijn tas op de grond. 'Of solliciteren de dames naar een bezoekje aan de directeur?'

Ze schudden hun hoofd. Toen hij zich omdraaide, schoof Laura haar agenda naar Anouk. 'Bij vrijdag de dertiende.' Irenes klassenfoto van havo drie was met zwarte tape op de bladzijde geplakt. Laura had Jack een baard en een paar hoorntjes gegeven. *Engelse ziekte* stond erboven.

Pied Piper had inmiddels een repertoire van vijf nummers. 'Misschien kunnen we een keer optreden?' zei Maurice. 'In Zannetti spelen wel vaker bandjes.'

Laura knikte. 'Ik kan het aan Marian vragen, die achter de bar werkt. Leuk mens is dat.'

Max prutste aan zijn gitaar. 'Onzin. We zijn nog maar net begonnen. Een goede show kost maanden werk. Of willen jullie dat we uitgefloten worden?'

'Maar jullie zijn hartstikke goed.' Anouk probeerde niet te blozen.

Max schudde zijn hoofd. 'Ik weet niet.' Ineens keek hij op. 'Jullie konden toch zingen? Misschien maakt dat de zangpartij sterker.'

Laura liep meteen naar de microfoon, Anouk moest eerst een paar keer slikken.

'Het tweede nummer,' zei Max. 'Dat kunnen jullie dromen.' Hij legde uit waar de oe's en o's en nog een paar la-la's kwamen.

'Makkelijk zat,' zei Maurice en hij tikte af.

Laura deed een paar danspasjes en zette daardoor te laat in met zingen. Alleen de stem van Anouk knalde door de microfoon. Ze stopte geschrokken.

'Opnieuw.' Max keek naar Laura. 'Laat dat showgedeelte voorlopig maar zitten en concentreer je op het zingen. Lekkere stem, Anouk.'

Laura keek chagrijnig, maar Anouk voelde zich een paar seconden minstens Tina Turner.

'La-la-la.' Hun stemmen galmden door het schuurtje. Het klonk niet gek, dacht Anouk en ze werd steeds zelfverzekerder. 'Oe-hoeoeoeoeoe!' Het werkte aanstekelijk, zelfs Joost hupte op en neer achter zijn keyboard. De schuur trilde en sprong haast uit zijn voegen. Laura stak haar arm uit en liet hem kronkelen alsof ze een Egyptische danseres was.

Pats!

Anouk stopte midden in een a-hoe en keek geschrokken naar de grond. Daar lag de porseleinen ballerina in stukken. Joost was de enige die het merkte en stopte met spelen.

'Oeoeoe!' zong Laura.

'Hou op!' Anouk zwengelde aan Laura's arm, tot ze haar mond hield. 'Hou allemaal op!'

Er klonken nog een paar verdwaalde noten en toen was het stil. Iedereen staarde naar Anouk, die bij de scherven hurkte en ze voorzichtig opraapte.

'Die danst niet meer,' zei Maurice. Het was niet duidelijk of hij Laura of de ballerina bedoelde.

'Opa was er erg aan gehecht.' Anouk zag hem weer voor zich, zoals hij oud en moe op de bank zat.

'Waarom staat dat beeldje dan hier?' vroeg Laura.

'Hij heeft het van Emma gekregen.' Anouks keel was dik. 'Volgens mij was ze zijn geheime liefde.'

'Wow, spa...' begon Laura, maar Anouk keek haar zo pissig aan dat ze stopte.

'Kunnen we geen nieuwe ballerina kopen?' vroeg Joost.

Anouk legde de scherven op de plank. Straks zou ze ze weggooien. 'Waar dan? Zoiets vind je nergens.'

'Misschien op de rommelmarkt?' Max zette zijn gitaar weg. 'Ik wil best voor je kijken.'

'Ik ook,' zeiden de anderen meteen.

Anouk knipperde met haar ogen. Wat een medeleven, straks begon ze nog te janken. 'Laten we maar verder oefenen.'

Laura sloeg haar armen om Anouk heen. 'Het spijt me. Zal ik meegaan om het je opa te vertellen?'

Anouk was meteen niet kwaad meer.

'Kunnen we weer?' vroeg Max. 'Of zal ik even mee komen knuffelen?'

'Graag,' zei Laura.

Anouk durfde het alleen te denken.

10

De wekelijkse rommelmarkt werd gehouden op een plein in de vogeltjesbuurt. Hier en daar stonden kraampjes, maar de meeste spullen waren op lappen op de grond uitgespreid.

Maurice keek zijn ogen uit. 'Dat er zoveel mensen vroeg opstaan om in die ouwe zooi rond te snuffelen.'

Max trok Joost weg bij een doos met tweedehands boeken. 'Kom op, eerst een ballerina vinden.'

Laura wees. 'Daar, bij dat mens met die krulspelden in.' Ze liep vooruit en begon met de verkoopster te praten.

Anouk bleef in de buurt van Max. Vanmorgen had ze zich voorgenomen om normaal te doen, maar nu was ze toch weer zenuwachtig.

Maurice pakte een grote, met kunstfruit versierde hoed uit een kraam en zette hem op zijn hoofd.

Anouk grinnikte. 'Beatrix. Als twee druppels water.'

'Is dat niets voor Kim?' vroeg Max. 'Weer eens wat anders dan een fruitmand.'

Maurice grabbelde al geld uit zijn broekzak. 'Deze koninklijke fruitmand, graag.'

Toen hij had afgerekend maakte hij een pirouette, waardoor de hoed gevaarlijk wiebelde.

Anouk wilde dat ze meer op Maurice leek. Het kon hem niets schelen dat iedereen hem aanstaarde.

'Geen danseresjes,' zei Laura, die terug kwam lopen. 'Alleen maar herders en hondjes.'

'Behalve prima ballerina Maurice dan.' Max sloeg op de rand van de hoed, zodat die kapseisde. 'Je hebt je roeping gemist.'

'Voor Kim,' legde Anouk uit. 'De hoed, niet het dansje.'

'Dancing queen...' zong Maurice.

Anouk werd op haar schouder getikt. Joost liet haar een beeldje zien.

'Het is niet hetzelfde,' zei ze aarzelend. Maar nadat ze tevergeefs de markt afgestroopt hadden, kocht ze het toch.

Tot slot trakteerde Max op stroopwafels. 'Speciaal voor onze nieuwe zangeressen. We hebben gestemd en de uitslag was unaniem; jullie horen nu vast bij de band.'

Weer dat gevoel alsof ze examen moest doen. Maar tegelijkertijd zong het vanbinnen.

'Mmm, ze zijn warm.' Laura nam een flinke hap. De nog vloeibare stroop druppelde op haar kin.

'De volgende keer zal ik een slabbetje voor je regelen.' Max veegde het plakkerige goedje weg met zijn vinger.

Anouks mond zat ineens veel te vol met wafel. Als ze nog langer naar dat kleffe gedoe moest kijken, ging ze kokhalzen. Zo onopvallend mogelijk gooide ze de rest van de koek in de struiken.

'Gaat het?' vroeg Joost zachtjes en hij hield haar mouw even vast.

Tranen prikten achter haar ogen. Ze trok haar arm nijdig terug. Straks dacht Max nog dat ze in Joost geïnteresseerd was. 'Je ging toch mee naar opa?' zei ze chagrijnig tegen Laura.

'Moet dat per se nu?' Laura trok haar wenkbrauwen op.

'Ja, dat moet nú.' Met brandende wangen liep Anouk naar haar fiets.

Ze fietsten zwijgend naast elkaar. Laura moest moeite doen om Anouk bij te houden.

'Wat is er nou?' vroeg ze.

Anouk zei niets. Ze was bang dat ze zou gaan huilen.

'Heb ik iets verkeerds gezegd?'

Alsof ze dat niet wist. Anouk trapte nog harder.

'Hallooooo!' schreeuwde Laura. Ze nam een sprintje en draaide haar stuur, zodat ze bijna op elkaar knalden. Anouk moest wel remmen om een botsing te voorkomen. Hijgend stonden ze stil, als twee kemphanen tegenover elkaar.

'Ben je soms jaloers?' vroeg Laura.

'Op jou zeker?' zei Anouk smalend.

Laura haalde haar schouders op. 'Ik kan er toch ook niets aan doen dat Max...'

'O, dus je weet het wel!'

'Hallo, je doet net of ik met Max gezoend heb.'

'Dat scheelde niet veel.'

'Mens, dan weet jij niet wat zoenen is. Dat doe je met je mond, niet met je vingers.'

Laura boog zich voorover en kuste Anouk ineens op haar wang. 'Zo. Je moet niet zo stom denken, we zijn toch vriendinnen?'

'Mooie vriendin ben jij.' Maar in haar buik kreeg Anouk een warm, tintelend gevoel.

'We laten onze vriendschap niet door een jongen verpesten.' Laura stapte op haar fiets. 'Dat hebben we toch gezworen?'

Anouk grijnsde. 'Ik word nog misselijk als ik eraan denk.'

11

De grasmaaier maakte zoveel herrie dat het even duurde voordat opa Anouk en Laura in de gaten kreeg. Hij zette de motor af en trok de oorbeschermers van zijn hoofd.

'Twee mooie meiden op visite,' zei hij. 'Als ik dat had geweten, had ik taartjes gekocht.'

'Wij hebben iets voor jou gekocht,' zei Anouk.

'Om het goed te maken.' Laura wiebelde van haar ene been op het andere. 'Er is een ongelukje gebeurd, met de ballerina.'

Opa streek over zijn stoppelkin. 'Ik miste haar al.'

'Ik was aan het dansen.' Laura deed het voor. 'En toen, pats. Het spijt me heel erg.'

'Dansen...' Hij staarde in de verte. 'Niemand kon zo dansen als Emma.'

'Wat was die Emma voor iemand?' vroeg Laura nieuwsgierig.

Anouk legde snel het in krantenpapier verpakte beeldje in opa's handen. 'We hebben alles afgezocht, maar het is niet precies hetzelfde.'

Opa vouwde het open en haalde het beeldje te voorschijn. Een danseresje op één been, met lange, blonde haren.

'Emma droeg altijd een vlecht, soms met roosjes erin.' Hij zette de ballerina in het gras. 'Aardig van jullie.'

'Kun je haar niet schrijven of bellen?' vroeg Laura.

Opa haalde zijn schouders op. 'Ik weet niet waar ze is.'

'Je kunt Spoorloos inschakelen,' zei Laura. 'Dat televisie-
programma waar ze vermiste personen opsnorren.'
'Ik weet niet eens of ze nog leeft.' Opa's stem klonk ver-
drietig.
Anouk seinde met haar ogen naar Laura: hou op!
'Het gazonnetje ziet er goed uit,' schakelde Laura moei-
teloos over.
'We gaan.' Anouk gaf opa een zoen. 'Kun jij verder met
maaien.'

Ze zaten op de kamer van Anouk.
'Zullen we je opa helpen?' vroeg Laura.
'Hoe dan?'
'Als Emma dood is, kunnen we haar geest oproepen.'
'En als ze nog leeft?'
'Als ze niet komt opdagen, weten we dat tenminste.'
Anouk had weinig zin om nog naar Laura's huis te fiet-
sen. 'Wij hebben geen ouija-bord.'
'Met scrabble kan het ook.' Laura pakte de rode doos uit
de kast. 'Als jij de letters doet, haal ik beneden een glas.'
Voordat Anouk kon tegensputteren, was ze al verdwenen.
Anouk maakte een kring op de grond met alle letters van
het alfabet. Toen legde ze de woorden 'ja' en 'nee' in het
midden en wachtte tien minuten op Laura.
'Waar bleef je nou?' vroeg ze, toen Laura met rozige wan-
gen de kamer in kwam. 'Heb je eerst de hele afwas ge-
daan of zo?'
Laura zette het glas ondersteboven in de cirkel. 'Ik had
een gesprekje met je broer.'
'Praten met Jelle?' Anouk deed of ze steil achterover viel.
Laura trok de speld uit haar haren en stak ze opnieuw op.
'Ik heb zijn hand gelezen.'

'Oef, ze heeft zijn handje vastgehouden.'

'Ik zou best meer van hem willen vasthouden.' Laura ging naast haar op de grond zitten. 'Jelle is een lekkertje. Bijna net zo'n lekkertje als Max.'

Laura was helemaal niet lekker. 'Heb je paddo's gegeten?' vroeg Anouk met een vies gezicht. 'Je hallucineert.'

'Je hebt er geen verstand van, dat komt omdat je Jelles zus bent.' Laura legde haar wijsvinger op het glas. 'En nu uiterste stilte en concentratie, anders jaag je de geesten weg.'

Anouk legde haar vinger naast die van Laura en sloot haar ogen.

'Stel je Emma voor,' fluisterde Laura. 'Een danseres met een lange vlecht en roosjes in het haar.'

Ze zwegen. Anouk probeerde niet te luisteren naar de geluiden die van beneden kwamen, maar muziek te horen en een frêle ballerina voor zich te zien.

'Emma, bent u daar?' zei Laura zachtjes. 'Als u ons hoort, maak u dan bekend.'

Het glas bleef stil, Anouks vinger begon zwaar te wegen.

'Hoe heet je opa?' vroeg Laura.

'Jannes Verschoor.'

'Jannes Verschoor wil u een paar vragen stellen. Emma, bent u daar?'

Het glas schokte even en schoof toen haperend naar het woordje 'ja'. Anouk sperde haar ogen open en staarde ongelovig naar haar hand. Ze wist zeker dat ze niet duwde. Er hing iets in de lucht, een nauwelijks merkbare trilling, waardoor elke haar op haar hoofd statisch werd. Ze moest aan elastiekjes denken.

'Was u verliefd op Jannes?'

Het glas bleef staan en trilde.

'Waarom hebt u hem verlaten?'

Als vanzelf schoof het glas van de ene naar de andere letter. Laura las hardop mee:

'D-a-n-s-e-n-i-n-f-r-a-n-k-r-ij-k. Waarom ging Jannes niet mee?'

W-e-r-k-h-i-e-r. Het glas bewoog steeds sneller.

'Hebt u mijn oma gekend?' vroeg Anouk zenuwachtig.

Er gebeurde niets meer. Alles werd weer gewoon en het onbestemde gevoel verdween.

'Oen,' mopperde Laura. 'Je hebt haar weggejaagd. Met geesten moet je altijd voorzichtig zijn. Misschien was ze wel jaloers op je oma, omdat die met je opa is getrouwd.'

Anouk had er genoeg van en schoof de letters op een hoopje. 'Heb jij echt niet geduwd? Ik vond het griezelig.'

'Zolang je alleen goede geesten oproept, kan het geen kwaad.' Laura wierp het glas in de lucht en ving het weer op. 'Ik breng het terug naar de keuken.'

Anouk zette het raam open en liep snel achter Laura aan. Ze hoopte dat geesten naar buiten konden vliegen.

12

De Wild hinkte de klas binnen. Anouk had het gevoel dat ze een hete aardappel had ingeslikt. Dit was té eng. 'Voodoo?' fluisterde ze.

'Dus toch.' Zelfs Laura klonk verbaasd.

'Wat hebt u gedaan, meneer?' vroeg Janna.

'Mijn grote teen gestoten, zwaar gekneusd. Einde informatie.' Hij liet zijn tas op de grond ploffen. 'Hoofdstuk 8, bladzijde 98.'

De zon scheen door de ramen, maar toch was het fris in de klas. De Wild was weer in een ijsklomp veranderd.

Anouk veegde haar zweterige handen af aan haar broek en begon te schrijven. Er landde een opgevouwen papiertje op haar etui. Ze sloot er bliksemsnel haar vuist omheen en maakte het briefje onder haar tafel open. 'Zondag ziekenbezoek Kim. Jij, Laura, Joost, Max. Afz. Maurice.'

Aan het eind van de schooldag wachtten Max en Maurice hen op in het fietsenhok.

'Gaan jullie zaterdag mee naar Zannetti?' vroeg Max. 'Ik wil het daar eerst zien voordat we beslissen of we gaan optreden of niet.'

'Goed plan,' zei Laura.

Anouk knikte en slikte. Ze had zin om een rondje over het schoolplein te rennen. Zaterdag uit met Max en zondag zou ze hem bij Kim zien! Er was nog maar één ding waar ze aan kon denken: dit weekend moest het gebeuren.

Ze had haar moeder zover weten te krijgen dat ze geld kreeg voor een peperduur groen truitje. Het had precies de kleur van haar ogen en met haar donkerblauwe spijkerbroek vond ze zichzelf bijna mooi.

'Zooo.' Jelle floot bewonderend.

Het kwam niet vaak voor dat ze echt met hem kon praten. Van dit zeldzame moment moest ze gebruikmaken.

'Waar vallen jongens op?'

Jelle keek verbaasd.

'Bij meisjes, bedoel ik.'

Hij grijnsde. 'Oew, mijn zusje is verliefd.'

Ze gaf een stomp tegen zijn schouder. 'Nee, serieus.'

'Ze moet er cool uitzien, natuurlijk. En dezelfde dingen leuk vinden. Als ze alleen maar over zichzelf praat, ben ik weg.'

Anouk smeerde nog wat wax in haar haren en controleerde voor de laatste keer haar spiegelbeeld. Ze hoefde Max alleen een paar vragen te stellen en zou hem het woord laten doen. Makkelijk zat.

'Succes,' riep Jelle, toen ze haar jas van de kapstok pakte. Het was meteen weer of er honderd volt door haar lijf sloeg.

Anouk haalde diep adem en duwde de deur van Zannetti open. Achterin dansten een paar meisjes op een nummer van Madonna. Hier vooraan kon je de muziek minder goed horen door het geroezemoes; alle tafeltjes waren bezet.

'Daar is nog plaats.' Laura wees naar de blauwe muur, waarop een graffitikunstenaar zich had uitgeleefd. Onder een schreeuwerig *Don't fuck with me!* gingen ze zitten.

'Irene gaat kaartjes reserveren voor een voorstelling van een bekende hypnotiseur,' zei Laura.

Anouk luisterde met een half oor. Kon zij maar hypnotiseren. Een paar keer met haar vingers knippen en Max verliefd laten zijn.

Voor de tiende keer keek ze naar de deur.

Eindelijk kwamen de jongens van Pied Piper binnen. In Anouks lijf draaide de chemische industrie meteen op volle toeren. Haar hart leek een stoommachine toen Max naast haar ging zitten.

'Je ziet er mooi uit. Kleurt goed bij je ogen.'

Als hij zo doorging, kwam er nog rook uit haar oren. Rustig blijven, een vraag stellen alsof het de gewoonste zaak van de wereld was. 'Hoe vind je het om in onze stad te wonen?'

'De meisjes zijn hier leuker dan in het dorp.'

'Hoezo?'

'Knapper. Laura bijvoorbeeld is echt een stuk.'

Even wilde ze dat hij door zijn stoel zakte.

Max boog zich voorover en blies in haar oor: 'Ze heeft geen vriend, hè?'

Anouk schudde stom met haar hoofd.

'Praat ze wel eens over mij?'

Het werd mistig voor Anouks ogen. 'Ik moet plassen,' fluisterde ze. 'Erg.'

13

Ze hield haar wang tegen de koude tegels in de toilet-
ruimte om af te koelen. Al haar spieren deden pijn, alsof
ze zwaar de griep had. Kon ze maar in de muur kruipen
en voor de rest van haar leven onzichtbaar zijn. Max en
Laura, Laura en Max, bonkte het als een repeteerwekker
in haar hoofd. In haar ooghoek kriebelde een traan. Ze
veegde hem weg en knipperde verwoed met haar ogen.
Niet janken, dat plezier gunde ze hem niet. Met trage
bewegingen draaide ze de kraan open en even hield ze
haar polsen onder het stromende water. Laura zou omge-
keerd misschien blij voor haar zijn, maar zij was helemaal niet blij voor Laura. Nijdig streek ze haar natte
handen door haar haren en keek naar zichzelf in de spiegel. Zo kon ze niet naar binnen, iedereen kon zien dat ze
op het punt stond om in huilen uit te barsten.
'Schouders recht en blijven glimlachen.' Dat zei opa altijd als het tegenzat.
Ze spande haar mondspieren. Dat was iets beter. Ze zou
zich niet laten kennen, maar lol maken en die rotzak
laten zien wat hij miste!

Ze hadden een plekje aan de bar gezocht en spraken met
Marian over het optreden. Max pakte Laura en Anouk bij
hun middel. 'Moordmeiden. Ze zingen als de beste!'
De warmte van zijn arm knetterde door Anouks truitje
heen, tot hij haar losliet.

Shit, Laura bleef hij vasthouden.

Ten einde raad trok ze Joost naar de dansvloer. Hij kwispelde nog net niet, maar keek haar als een puppy aan. Ze danste alsof haar leven ervan afhing. Uitdagend draaide ze met haar heupen, haar armen strelend langs haar lichaam. Ze danste voor Max, maar hij keek niet.

Het volgende nummer was langzamer. Vanuit haar ooghoeken zag ze Max en Laura de vloer op komen, als een Siamese tweeling aan elkaar vastgeplakt. Anouk liet zich in de armen van Joost glijden en zocht troost bij zijn T-shirt. Ze deed haar ogen dicht en stelde zich voor dat Max haar vasthield.

De tl-lampen gingen zoemend aan.

'Sluitingstijd!' riep Marian.

Alles ging heel snel. Maurice vertrok in zijn eentje en Max zei dat hij Laura achter op zijn fiets naar huis zou brengen. 'Ligt toch op de route.'

Anouk kon de verliefde grijns wel van zijn gezicht slaan. Laura keek verontschuldigend en fluisterde: 'Morgen', maar Anouk deed of ze lucht was.

Joost haalde de sleutels van zijn volkswagenbusje uit zijn zak. 'Ik zet Anouk af.'

Het was niet koud in het busje en toch rilde Anouk. Joost legde zorgzaam zijn jas om haar schouders.

Zwijgend reden ze naar huis. Joost parkeerde de bus en zette de motor af. Daarna boog hij zich aarzelend naar Anouk om haar te kussen.

Wat was ze moe, doodmoe. Ze liet het gebeuren, maar het drong nauwelijks tot haar door. Ze was niet hier, maar ergens anders. Op een eilandje in de Noordelijke IJszee.

Toen Joost haar eindelijk losliet, stapte ze zo vlug mogelijk uit. Werktuiglijk liet ze de jas van haar schouders glijden en legde hem op de stoel. Als in een waas liep ze het tuinpad op. Ze hoorde het busje wegrijden, maar keek niet meer om. Met trillende vingers haalde ze de sleutel uit haar portemonnee. Ze kon alleen nog in slow-motion bewegen.

De deur viel achter haar in het slot. Einde hoofdstuk.

Duizelig leunde ze tegen de jassen die aan de kapstok hingen. Uit de huiskamer klonken televisiegeluiden. Zoals gewoonlijk waren haar ouders nog op. Ze lagen nooit voor één uur in bed. De videorecorder was voor hen dé uitvinding van de vorige eeuw.

'Als u de laatste vraag goed beantwoordt,' riep de presentator. 'Bent u miljonair!'

Laura had het lot uit de loterij gewonnen en zij was de grote verliezer. Mensen moorddden om minder dan geld. Ze zou Laura nu ook wel kunnen doodschieten. Er zat maar een dun wandje tussen liefde en haat.

'Anouk?' Haar moeders stem door de deur heen.

Ze had geen zin om naar binnen te gaan. In een warme kamer met vriendelijke gezichten ging ze vast huilen.

'Ik ga naar boven!'

Toen ze op de derde tree stond, ging de kamerdeur open.

'Alles goed?' vroeg haar moeder.

'Ja-haa.'

'Kom je niet meer beneden?'

'Slapen,' kreeg ze wurgend uit haar keel. 'Moe.'

Haar moeder verdween en Anouk sleepte zich naar boven. Het leek of er pap in haar benen zat. Jelle was nog niet thuis, de deur van zijn kamer stond open. Zij deed die van haar altijd op slot. Haar blik dwaalde van de basket boven zijn bureau waar hij altijd proppen in schoot,

naar de poster van een meisje in bikini en de vuile sok-
ken onder zijn bed. Jelle had niets te verbergen. Hij zei
het gewoon als hij gek op iemand was, terwijl zij het alleen maar durfde denken. Daar schoot je niets mee op,
Max kon geen gedachten lezen.

Ze tastte met haar hand de bovenkant van de deurpost af
tot ze de sleutel vond en maakte haar kamerdeur open.

Joost had haar ook verkeerd begrepen. Die dacht natuurlijk dat ze verliefd op hem was, terwijl ze zich alleen
maar wanhopig voelde. Ze liet zich op haar bed vallen en
staarde naar het plafond. Arme Joost. Ze was al net zo
misselijk als Laura en Max. Als je verliefd was, dacht je
alleen nog aan jezelf. MAXimale ellende. Hoe kon je
iemand zo erg haten en tegelijkertijd verliefd op hem
zijn? De kamer werd wazig door de tranen die in haar
ogen schoten. Half op de tast liep ze naar de cd-speler en
pakte de koptelefoon.

'Alweer De Dijk?' had Jelle gezegd. 'Stomme liefdesliedjes.'

Hij had er geen verstand van. Haar hart bloedde echt.

14

'Je vindt het toch niet erg, hè?' vroeg Laura de volgende middag. 'Jij bent toch met Joost?'
Anouk had bonkende hoofdpijn. 'Ik ben zo ontzettend blij voor jullie, nou goed?'
Laura friemelde zenuwachtig aan haar oorringetje. 'Hij is gek op mij, daar kan ik toch niets aan doen?'
Acné die nooit meer overgaat, dacht Anouk.
'Ga nou mee.'
En dan de hele tijd naar het verliefde stel kijken, zeker. Zelfkastijding. 'Geen zin.'
'Doe het dan voor Kimmie.'
'En ik ben niet op Joost.'
'Mij best. Maar wat heeft dat met Kim te maken?'
'Niks.' Anouk gaf een trap tegen haar bureau.
Laura zuchtte. 'Als ik hem nou van je had afgepakt. Als het andersom was, zou ik ook niet kwaad zijn.'
Anouk beet op haar lip.
'Als je per se wilt...' Laura aarzelde even en pakte de hand van Anouk. 'Dan maak ik het wel uit. We zijn toch vriendinnen?'
Doe dat, dacht Anouk. Maak het over en uit. Maar het betonblok in haar buik begon af te brokkelen. 'Doe niet zo gek. Ik moet er alleen nog aan wennen.'
Laura omhelsde haar. 'Gelukkig. Ik kan er niet tegen als we ruzie hebben.'
Anouk maakte zich los uit haar armen en liep naar de

deur. 'Ik ga maar een uurtje, want ik wil nog bij opa langs.'

Kim zette giechelend de hoed op. 'Ik voel me net de koningin.'

Joost zocht de blik van Anouk.

Sorry, zeiden haar ogen. Ze schoof haar stoel verder van hem weg en voelde zich een trut.

'Maandag ga ik weer naar school.' Kim schonk stralend cola in. 'Je zult het niet geloven, maar ik heb zelfs De Wild gemist.'

'Weet je wel zeker dat je beter bent?' Max grijnsde. Onweerstaanbaar.

Niet kijken, dacht Anouk. Ze zag hoe hij zijn hand op Laura's arm legde. Hoe zijn duim Laura's bloes aaide. Meteen was het of er een zwerm stekende wespen door haar hersens gonsde.

Hou op hou op hou op!

Elk beeld kwam binnen als een dreunende heipaal. Max die naar Laura glimlachte. Max die aan Laura's haar friemelde. De horrorfilm ging non-stop door.

Niet kijken. Met bevende vingers trok ze de colafles naar zich toe en bekeek zogenaamd aandachtig het etiket. *Zeilwedstrijd. Winnen.* De letters leken onder haar ogen weg te rennen.

'Schenk jij nog een keer in?' vroeg Kim.

Anouk gaf de fles aan Maurice. 'Doe jij het maar. Ik zou om drie uur bij opa zijn.'

Ze stond al met haar fietssleutel in de hand.

'Tot morgen,' zei Laura alsof er niets gebeurd was.

Anouk knikte. Als ze haar mond opendeed, zouden de wespen naar buiten vliegen.

'Kind, wat zie je bleek,' zei opa. 'Ben je niet lekker?'

Ze ging zwijgend op de bank zitten. Boven haar hoofd ritselden de bladeren van de kersenboom. Opa schonk koude thee met citroen in een beker. 'Wil je erover praten?'

Ze haalde haar loodzware schouders op.

Hij gaf een kneepje in haar knie. 'Griep? Of liefdesverdriet?'

Ze knikte en beet op haar lip. 'Max heeft iets met Laura.'

Hij hield haar de beker voor en wachtte tot ze wat gedronken had.

'Ik weet hoe het voelt als je verlangt naar iets wat onbereikbaar is. Na al die jaren, mis ik oma nog steeds.' Hij schudde een sigaartje uit zijn koker en stak het aan. 'Het is nu nog moeilijk voor te stellen, maar je komt weer iemand tegen. Ik dacht ook dat Emma de enige ware was.'

De wolkjes kringelden om hen heen, alsof ze samen in een kamertje van rook zaten. Anouk trok haar benen op en leunde tegen opa's schouder.

'Ik zag haar voor het eerst in de danszaal. Achterin zaten de meisjes als muurbloempjes te wachten tot iemand ze kwam vragen. Hun zonnigste japonnen aan, de haren opgestoken en hun ogen op de dansvloer gericht, verlangend om een walsje te draaien. Ik dronk een glas bier aan de bar en bestudeerde de vrolijke danspaartjes. Emma viel me meteen op. Nog geen seconde stond ze stil en alles aan haar bewoog, ze wervelde alsof ze gewichtloos was. Háár wilde ik vragen. Maar na elke dans werd ze weer door een nieuwe jongen de vloer op getrokken en ik zag mijn kansen voorbijgaan. Ik had het al bijna opgegeven, toen ze ineens naast me stond. "Dorst," zei ze tegen de barjongen. Ze had blosjes op haar wangen en roosjes in haar haren. Door het dansen was er eentje los geraakt. Ik weet niet wat me bezielde, maar mijn hand ging er zomaar naartoe. Voorzichtig trok ik het bloeme-tje los en stak het onhandig weer vast. "Anders verlies je het nog," zei ik. Toen ze naar me glimlachte, sloeg de bliksem pas echt in. "Je danst het beste van allemaal," zei ik. Ze vertelde dat ze beroemd wilde worden, optre-den in Londen, Parijs, New York. Urenlang hebben we gepraat over onze toekomstdromen. Na afloop mocht ik haar naar huis brengen en onder de seringen heb ik haar voor het eerst gekust. Nog steeds als ik seringen ruik, moet ik aan Emma denken. "Mijn meisje," zo noemde ik haar trots. Ik was er zeker van dat we altijd bij elkaar zouden blijven. Maar toen werd ze gevraagd voor een tournee door Frankrijk, die een halfjaar zou duren. Het liefst was ik met haar meegereisd, maar ik kon mijn va-der niet in de steek laten. Het was flink aanpoten op de boerderij. Achter de dansschool waar we elkaar voor het eerst ontmoet hadden, namen we afscheid. Daar heb ik haar voor de laatste keer bemind.'

Anouk dacht aan de middag op haar kamer, toen ze met Laura de geest van Emma had opgeroepen en kreeg kip-penvel. 'Ze kwam niet terug?'

'In het begin schreven we elkaar ellenlange brieven. Maar ze leefde daar in een andere wereld en de brieven werden ansichtkaarten met korte krabbeltjes, tot er he-lemaal niets meer kwam.'

'Ramp,' zei Anouk.

Opa glimlachte. 'Toen kwam ik je oma tegen. Een dege-lijke meid, die niet van roem en verre reizen droomde, maar van trouwen en kinderen krijgen. Ze haalde de scherpe kantjes van het verdriet af en was de rots waar ik

me aan vast kon klampen. Ik had mijn bekomst van on-
zekerheid. We trouwden al snel, in mei, vlak nadat haar
vader was overleden. Zijn huisartsenpraktijk werd ver-
kocht, dus was het handig dat ze meteen bij me introk.'
Opa's sigaar was uitgegaan. Hij streek een lucifer af en
zoog er opnieuw de brand in. 'Maar ik heb Emma nooit
vergeten.' Hij klopte op zijn borst. 'Ze heeft hier een
speciaal plekje. Soms vraag ik me af hoe het gelopen zou
zijn als ze wel was teruggekomen. Maar blijkbaar was
dansen belangrijker dan jouw opa. Ik had het maar te ac-
cepteren. Verliefdheid heb je niet in de hand.' Hij legde
troostend zijn hand op haar knie. 'Als Max en Laura gek
op elkaar zijn, kan jij daar niets aan veranderen. Ze doen
dat heus niet om jou dwars te zitten, al lijkt het misschien wel zo.'

Anouk liet haar hoofd op opa's schouder liggen. Ze tuur-
de naar de horizon, waar de zon gouden randjes aan de
wolken toverde. Max. Hij zou ook altijd een speciaal
plekje hebben.

'Je hebt weer wat kleur,' zei opa tevreden. 'Over een paar
dagen gaat het beter, dat zul je zien. Je bent altijd al sterk
geweest. Dat heb je van je oma.'

15

Het waren vermoeiende weken. Anouk speelde zo goed mogelijk toneel en sleepte zich door de schooldagen heen. Joost belde haar nog een keer om iets af te spreken, maar hing op toen ze zei dat de zoen in het busje een vergissing was. Tijdens de repetities van Pied Piper vermeed hij haar, zoals zij probeerde om niet naar Max en Laura te kijken. Daarbuiten trok ze vooral met Kim op. Laura had het nauwelijks in de gaten, die was te veel bezig met Max.

Alleen op haar kamer was Anouk zichzelf. Daar draaide ze treurige liedjes en schreef brieven aan Max, die ze meteen weer verscheurde. Of ze ging als een potplant op de vensterbank zitten en staarde uit het raam naar de voorbijgangers. Een gezinnetje met een kinderwagen, een jongen en een meisje hand in hand op de fiets. Het leek of de hele wereld gelukkig was, behalve zij.

'Waarom ga je niet naar Laura?' vroeg haar moeder op een middag. 'We zien haar bijna nooit meer. Van al dat binnen zitten verpieter je nog.'

'Laura heeft het druk met haar verkering,' snauwde Anouk, die op haar bed lag.

Haar moeder plukte een spinnetje van het behang en zette hem buiten. Ze bleef even voor het open raam staan en warmde haar gezicht aan de zon. 'Vanzelf verandert er niets,' zei haar rug.

Doodliggen en verrijzen. Sommige dingen kon je niet veranderen, hoogstens een beetje.

Kreunend kwam Anouk overeind. 'Goed dan.'

Haar moeder draaide zich om. 'Mooi.' Ze liep naar Jelles kamer en begon zingend het bed af te halen.

Gelukkig heb ik de stem van papa, dacht Anouk.

Het was meteen weer als vroeger, toen Laura haar bijna naar binnen trók.

'Wat is er?' vroeg Anouk.

'Er is iets met Max. Maar als ik ernaar vraag, geeft hij geen antwoord. Dan moet hij ineens naar Maurice of zo om iets te regelen. Rotsmoesjes.'

Anouk dacht aan Jelle, die aan de lopende band vriendinnetjes had. De eerste weken was hij ongeneeslijk verliefd, tot hij weer belangstelling voor de gewone dingen kreeg. Dan ging hij rustig poolen, terwijl hij met zijn vriendin had afgesproken. Aflopende zaak.

'Misschien moet je iets spannends bedenken. Hem ergens mee verrassen.' Ze leek wel gek om te helpen, maar ze kon er niet tegen dat Laura zo sip keek.

'Wat dan?'

'Weet ik veel. Een romantische picknick of zo?'

Ze liepen naar de keuken, waar Laura verse jus inschonk met tinkelende blokjes ijs. Ze zette de glazen op een dienblad, naast een bord olijven. 'Hou jij de deur open?'

De zon hing loodrecht boven het terras. In het midden van de tuintafel stak een groene parasol. Het eilandje schaduw was net groot genoeg voor de twee stoelen.

Laura schopte haar sandalen uit en strekte haar benen. 'Ik ben zo blij dat het weer goed is tussen ons.'

'Anders ik wel,' zei Anouk. Jaloezie was stom. Verkeringen gingen uit, maar vriendinnen waren voor eeuwig.

Laura trok een tijdschrift onder haar stoelkussen vandaan. 'Heb je de horoscoop van deze week al gelezen?'

Anouk geeuwde. 'Allemaal onzin.'

'Helemaal niet,' zei Laura fel. 'Hier staat dat ik problemen op liefdesgebied heb. Klopt als een bus.'

'Allicht.' Anouk zuchtte. 'Horoscopen zijn zo vaag dat ze altijd kloppen. "Let op uw gezondheid," schrijven ze dan. Of je nou een hartaanval krijgt of een verkoudheid oploopt; bingo!'

'Dus jij beweert dat sterren en maan geen invloed op jouw gedrag hebben?' vroeg Laura ongelovig.

'Tuurlijk wel,' antwoordde Anouk. 'Ik verander elke volle maan in een weerwolf.'

'Ha, ha, ha.' Laura wapperde met het tijdschrift. 'Dus mijn beste vriendin hoort tot de categorie kortzichtige mensen die denken: wat je niet ziet, bestaat niet.'

Anouk dacht aan die keer dat ze de geest van Emma hadden opgeroepen. Er was toen iets in de kamer, dat had ze gevoeld. Ze haalde haar schouders op. 'Ik weet heus niet altijd wat ik wel en niet moet geloven.' Ondanks de warmte kreeg ze kippenvel. 'Soms is magie gevaarlijk, dat weet ik wel.'

Pfff, deed Laura. 'Door de drukke Hoofdstraat fietsen is linker.'

Anouk stak haar tong uit. 'Ga jij maar fijn tarotkaarten leggen. Dan fiets ik met gevaar voor eigen leven nog even naar opa.'

16

Het was prachtig weer, maar Anouk voelde zich lamlendig. Het leek of iedereen iets te doen had, behalve zij. Laura was met Irene naar de hypnose-show en Kim naar een tante in Maastricht. Jelle had met zijn vrienden in het zwembad afgesproken. Overal gebeurde wel iets, maar niet hier. Ze hoorde nergens bij.

De stretcher kraakte toen ze zich omdraaide. Voor de derde keer begon ze in haar boek, maar de hoofdpersoon kon haar niet boeien. Met een zucht schoof ze het weg. Op het terras liepen een paar ijverige mieren. Die hadden geen tijd om te piekeren en ze waren vast ook nooit verliefd. Nee, niet aan Max denken. Verboden woord. Het was weer koek en ei met Laura en dat zou ze niet opnieuw laten verpesten.

De poort ging knarsend open en haar moeder manoeuvreerde haar fiets de tuin in. De tassen met boodschappen slingerden gevaarlijk aan het stuur.

'Help je even?'

Anouk nam de tassen over, zette ze op de grond en trok de bos rozen onder de snelbinders vandaan. Ze stak haar neus erin en snoof. 'Lekker.'

'Voor oma. Ik ga straks haar graf verzorgen. Opa voelt zich niet zo fit.'

'Is hij ziek?' vroeg Anouk ongerust. Elke week zorgde hij voor verse bloemen op het graf, geen zaterdag sloeg hij over.

'Nee, hij heeft een beetje last van de hitte. Dat hebben oude mensen wel vaker.' Haar moeder zette de fiets op de standaard en begon de tassen naar binnen te dragen.

'Zal ik het graf doen?' vroeg Anouk, terwijl ze met de rozen achter haar moeder aan liep. 'Ik verveel me suf.'

Haar moeder knikte. 'Neem een mesje mee. Als je de stelen schuin afsnijdt, blijven ze langer goed.'

Sommige gevoelens moest je ook weg kunnen snijden. Zonder wanhopige liefdes leefde je vast langer en gelukkiger.

Anouk haalde de verdorde rozen uit de vaas en legde ze naast het graf. Op de steen lagen verdwaalde blaadjes, alsof het had gesneeuwd. Ze veegde ze weg en volgde met haar vingers de uitgeslepen letters. *Hier rust mijn lieve Lena, 1936-1997.*

Zou oma van Emma geweten hebben? Ook al hielden mensen van elkaar, dan nog konden ze geheimen hebben. Aan Laura had ze ook niet alles verteld, bang om ruzie te krijgen.

Voorzichtig goot ze vers water in de vaas en schikte de nieuwe bloemen. Met de gieter in haar ene hand en de verlepte rozen in de andere liep ze het laantje af.

'Anouk.'

Ze knipperde met haar ogen, maar het beeld veranderde niet. Alsof ze in een droom gevangen zat en maar niet wakker kon worden.

'Je ziet eruit of je een geest ziet.' Max grijnsde. 'Ben ik zo weerzinwekkend?'

Ze kneep in de bos rozen en kreunde toen een doorntje zich in haar vinger boorde. Meteen was ze klaarwakker en ze liet de bloemen vallen.

'Ik heb een nieuw nummer geschreven.' Hij bukte zich om de rozen op te rapen. 'Ik wil graag weten wat jij ervan vindt. Aangezien Laura weg is…'

Hij wilde háár mening horen, niet die van Maurice of Joost. Ze voelde haar hart in haar hoofd bonken toen ze achter hem aan liep naar het kraantje. Ze zette de gieter weg en Max gooide de bloemen in de vuilnisbak.

'Ik mocht de brommer van mijn broer lenen. Durf je achterop?'

Ze knikte en wist eindelijk een paar woorden uit haar keel te persen. 'Hoe wist je dat ik hier was?'

'Van je moeder. Jullie staan in het telefoonboek.'

'O.'

Het was of ze voor het eerst leerde lopen. Haar voeten leken groot en wiebelig, alsof ze van iemand anders waren.

'Zet deze maar op.' Max tilde een rode helm met plastic kap van de brommer.

Ze schoof hem over haar hoofd en snoerde het riempje onder haar kin vast. Net een viskom. De geluiden van buiten klonken als onder water.

Max startte de brommer en ging erop zitten. Hij klopte op de zitting achter hem. 'Hou je goed vast.'

Anouk klemde haar vingers om het ijzeren steuntje achter haar. Maar Max gaf zoveel gas dat ze naar voren smakte. Ineens zat ze dicht tegen hem aan, haar armen om zijn middel gesnoerd. Even hoorde ze een stemmetje in haar hoofd: wat zou Laura hiervan vinden? Maar ze duwde het weg. Laura zou heus niet willen dat ze van de brommer gleed en verongelukte.

Ze knetterden de straat uit, langs winkeltjes en huizen. Anouks shirt bolde op in de wind. Ze zat pal tegen de rug van Max en voelde hem ademen. Zelf vergat ze dat bijna.

De brommer maakte een bocht en passeerde het sport-
park. Anouk draaide haar hoofd even opzij. Over de voet-
balvelden holden rode en blauwe figuurtjes.

Tik!

Er vloog iets tegen de helm en schoot onder de kap. Het
gonsde zenuwachtig met zijn vleugeltjes en botste tegen het plastic. Telkens weer. Flits, flits, ging het voor
Anouks ogen. Ze schudde haar hoofd en wurmde haar
vingers onder de kap. Het beestje liet zich niet vangen.
Steeds paniekeriger zigzagde het door de kleine ruimte.
Pok, tegen de kap. Pok, tegen haar wang. Anouk zag alleen nog zwarte vegen. Ga weg, ga weg! Gek werd ze van
dat gezoem. Angstig sloeg ze Max op zijn rug.

Au! Een venijnige steek in haar lip, die meteen als een
aardbei opzwol.

Weer stompte ze Max op zijn rug en eindelijk ging de
brommer langzamer en reed Max naar de kant. Ze sprong
van het zadel en frunnikte aan het bandje, tot het na veel
moeite losschoot.

'Shit!' Ze smeet de helm op de grond en voelde aan haar
pijnlijke mond.

'Wat is er?' vroeg Max verbaasd.

Ze probeerde flink te zijn. 'Gestoken. Een wesp, denk ik.'

Hij bestudeerde haar dikke lip. 'Dat gif moet er zo snel
mogelijk uit.'

Voor ze het goed en wel besefte, pakte hij haar hoofd
vast. Voorzichtig sloot hij zijn lippen om de zwelling en
begon te zuigen.

Het was goed dat hij haar vasthield, anders was ze om-
gevallen. Ze voelde geen pijn meer, alleen zijn zachte,
warme mond. Zijn vingers leken laserstralen die in haar
vel brandden. Vuurwerk.

Hij liet haar los en spuugde op de grond. Anouks benen trilden. Zeeziek. Ondanks de hitte leek het of ze ineens in een koelcel stond.

'Als je met een ui over je lip wrijft, is het zo over.' Max raapte de helm op en inspecteerde de binnenkant. 'Wespenvrij.'

Hekserij werkte niet. Max had haar bloed geproefd en werd niet verliefd. Met stijve gebaartjes schoof ze de helm over haar hoofd en ging weer achter op de brommer zitten. Dit keer hield ze het ijzeren steuntje vast. Als ze Max vasthield, zou ze gaan huilen. Zelfs als je vlakbij iemand was, kon je hem vreselijk missen.

17

Ze slorpte de kamer op met haar ogen. Dus deze muziektempel was het heiligdom van Max. Aan de muren hingen posters van popsterren en overal lagen stapels bladmuziek. Ze liet zich op zijn onopgemaakte bed vallen en rook aan het kussen. De geur van Max. Jammer dat ze het niet mee naar huis kon smokkelen. Ze stond op en liet haar handen over de gitaar in de standaard glijden. Die gebruikte hij zeker om thuis te oefenen. Tussen de schoolboeken op het bureau lag een groen album. Nieuwsgierig sloeg ze het open en bekeek de foto's van een jongetje met zwarte krulletjes. Max in de zandbak, Max op de fiets en onder de douche. Zó schattig! Haar mond krulde tot ze de wespensteek weer voelde zeuren. Ze bladerde verder, het hele album door. Op de laatste bladzijde was een foto losgeraakt: Max, fantastisch bruin met glimmend natte haren en achter hem een spiegelgladde zee...

Op de trap klonken voetstappen. Zonder erbij na te denken liet Anouk de foto in haar broekzak glijden en klapte bliksemsnel het album dicht. Toen Max binnenkwam, deed ze alsof ze zijn gitaar bestudeerde.

'Hier.' Hij gaf haar een doorgesneden ui.

Ze vond dat het stonk en aaide maar een beetje over de wespensteek.

Max pakte zijn gitaar en sloeg een paar snaren aan. 'Je moet eerlijk zeggen wat je ervan vindt.'

Al had hij het Wilhelmus gezongen.

Anouk was op de grond gaan zitten en leunde met haar hoofd tegen de rand van het bed. Terwijl de tonen om haar heen kabbelden, at ze Max op met haar ogen. Het kuiltje in zijn hals, het dons op zijn vingerkootjes, de waterval van krullen, elk sproetje op zijn neus.

'Mooi,' zei ze schor, toen hij de gitaar weglegde.

'Ik moet het nog bijschaven.' Max schoof naast haar op de vloer. 'Maar je denkt dat het wel wat wordt?'

Ze knikte en liet de hand met de ui op haar knie zakken. Hun blikken bleven in elkaar haken en ze voelde zijn warme adem over haar wang strijken.

Nu kon de wereld vergaan, zonder dat ze het zou merken. De mond van Max hing een beetje open en boven zijn wenkbrauwen verscheen een rimpel. De sproetjes op zijn neus kwamen steeds dichterbij. Plof! De ui viel op de grond. Dat was het laatste wat Anouk merkte voordat het vuurwerk weer begon.

Ze lagen plotseling op de grond, hun armen en benen in-eengestrengeld. Dichter, nog dichter, zo dicht als maar kon. Ze zoenden en Anouk hoorde zichzelf kreunende geluidjes maken. De kamer tolde om zijn as. Ze proefde Max, met een vleugje ui. Zweven, vliegen, buitelen. Gewichtloos was ze, tot de hand van Max onder haar shirt schoof en naar het bandje van haar bh wandelde.

Laura! Ineens was het of Laura in de kamer naar haar stond te kijken. Met een klap knalde Anouk terug op de grond.

'Hou op!'

Max knabbelde net aan haar oor en keek verstoord op. 'Wat is er?'

'Laura,' zei ze, terwijl ze hem van zich af duwde.

'Laura?' herhaalde hij verdwaasd.

'Laura, mijn vriendin.' De zeepbel was uit elkaar gespat.

'En de jouwe. Of was je dat soms vergeten?' Ze rolde van hem af en trok haar kleren recht.

'Jij sputterde anders ook niet tegen.' Zijn ogen werden nog donkerder.

Ze staarde naar de vloerbedekking en had ineens enorme hoofdpijn. 'Dat was stom, ja.'

Moeizaam krabbelde ze op en keek de kamer rond. Was ze hier maar nooit geweest.

'We moeten elkaar niet meer alleen zien,' zei ze.

'Rustig nou maar.'

Klootzak, dacht ze, waarom kijk je zo lief? Met moeite rukte ze zich van hem los en tastte naar haar lip, die ontzettend begon te steken. Met trillende benen liep ze weg, zonder nog om te kijken.

18

'...En die man dacht dat hij een kip was.' Laura liep rondjes en klapwiekte met haar armen. 'We kwamen niet meer bij toen hij een ei probeerde te leggen.' Ze deed voor hoe hij had gekronkeld om een ei uit zijn billen te persen. 'Die hypnotiseur is echt geweldig, je had erbij moeten zijn.'

Anouk probeerde naar Laura te luisteren, maar telkens dwaalden haar gedachten af. De hele nacht had ze liggen piekeren. Praten of haar kop houden? Was iets verzwijgen hetzelfde als liegen? Als Laura niets wist, werd ze ook niet gekwetst. Maar als Max het aan Laura zou vertellen? Dan kwam alles toch uit en zou Laura helemaal woest zijn. Dubbel verraad.

'Wat ben je stil?' zei Laura. 'Jij hebt je zeker rot verveeld?'

Anouk had het gevoel dat ze op een smalle richel boven een diepe afgrond balanceerde. 'Heb je Max al gezien?'

'Straks. Ik heb hem net gebeld.'

'Zei hij nog iets?'

Laura trok haar wenkbrauwen op.

'Iets bijzonders, bedoel ik.'

'Hoezo? Heb ik iets gemist?'

Het was of er een valhek naar beneden raasde. Laura stond aan de ene kant, Anouk aan de andere. Ze frummelde aan haar shirt en durfde niets te zeggen.

'Vertel op,' zei Laura dwingend.

Anouk kon de woorden niet vinden. Hoe ze het ook zou zeggen, het klonk altijd verkeerd.

'Nou?'

Anouks hersenen ontploften bijna. Wel-niet-wel-niet-wel.

'Het gebeurde zomaar,' fluisterde ze tenslotte.

'Wat?'

Anouk kromp ineen. Ze voelde zich kleiner dan een miertje. 'Ik heb Max gekust,' zei ze met een piepstemmetje.

Laura sperde haar ogen open, haar mond werd een smalle streep.

Klats!

Anouk greep naar haar wang, waar de afdruk van Laura's vingers brandde.

'Ga weg,' siste Laura. 'Ga onmiddellijk weg.'

'M-m-maar,' stamelde Anouk.

'Weg!' riep Laura hysterisch. 'Ik wil je nooit meer zien!'

Anouks benen zaten op slot, tot Laura haar begon te duwen. Toen pas rende ze huilend naar beneden, het huis uit.

'Ik heb de gootsteen ontstopt,' zei haar vader trots toen ze de keuken binnenkwam.

'Proficiat.' Anouk stormde langs hem heen.

Haar vader keek beteuterd. 'Jullie beweren altijd dat ik twee linkerhanden heb.'

Al had hij er tien. Ze zwaaide de deur open.

'Is er iets?'

'Ruzie. Laura en ik.'

'O.' Hij stond oenig met de ontstopper in zijn hand. 'Jullie hebben wel vaker ruzie. Het komt heus wel weer goed.'

'Deze keer niet.' Anouk liet de deur zo hard achter zich dichtvallen dat de spiegel in de gang ervan trilde.

Haar vader riep iets onverstaanbaars. Anouk racete naar boven, langs de kamer van Jelle.

'Doe normaal!' brulde die.

'Doe zelf normaal.' Anouk sloot zich op in haar kamer en ging op het bed liggen. Met haar hoofd onder haar kussen.

Een uur later klopte haar moeder op de deur. 'Kom je eten?'

'Ik hoef niet.'

'Maar ik heb pannenkoeken gebakken.'

Stilte.

'Met appeltjes.'

'Zal ik de deur intrappen?' Jelles stem.

'Als je dat maar uit je hoofd laat.' Haar moeder.

'Laat me met rust!' schreeuwde Anouk.

Er werd nog even gemompeld achter de deur, maar toen lieten ze haar eindelijk alleen. Anouk kroop diep onder de dekens. Kon ze haar hersens maar uitzetten. Niet denken, niet voelen. Ze was bang. Morgen zou iedereen het weten en partij voor Laura kiezen. Ze wilde nog maar één ding: doodliggen en nooit meer verrijzen.

19

Ze fietste zonder Laura naar school. Zo laat mogelijk. Zo langzaam mogelijk.

'Ik ga niet,' had ze gezegd. Maar haar moeder had haar De Blik gegeven.

'Het valt vast mee,' zei haar vader.

Stel je voor dat ze nu Laura tegen zou komen. Dat ze elkaar bijna ondersteboven zouden rijden, zodat ze wel móesten praten. Maar zonder magie kwamen wensen zelden uit.

Nog een paar minuten, dan ging de zoemer. Anouk kreeg haast. Als ze te laat de klas inkwam, zouden alle ogen op haar gericht zijn. Ze reed het schoolplein op en keek recht voor zich uit tot ze veilig in het fietsenhok was. Met bevende vingers pakte ze haar tas. De boeken wogen als beton, net als haar benen en armen. Ze haalde diep adem en liep het plein op.

Laura, Kim en Maurice stonden bij elkaar. Aarzelend zette Anouk een paar passen in hun richting.

Fluisterfluisterfluister. Maar het klonk oorverdovend.

Kim zag haar het eerst en gaf Laura een knikje.

'Hoi.' Anouk kneep haar tenen bij elkaar.

Laura keek of ze iets vies had gegeten.

'Heb je het uitgemaakt?' vroeg Kim.

'Wat dacht je dan?' Laura staarde dwars door Anouk heen. 'Als je je vrienden niet eens kunt vertrouwen.'

'Vond hij het erg?' Kim legde haar hand op Laura's schouder.

'Tuurlijk. Hij wilde dat het aan bleef.'

Anouk bleef stokstijf staan. Het was of Laura tegen haar praatte, maar dan met afstandsbediening.

'En?' vroeg Kim nieuwsgierig.

'Ik ben niet gek.' Laura draaide zich om. Einde gesprek. Laura's rug was als een muur. Anouk zocht vanuit haar ooghoeken het plein af. Ze zou naar Janna kunnen lopen. Of zou die ook niets meer met haar te maken willen hebben? Het zweet brak haar uit, maar ze werd gered door de zoemer.

'Hoe moet het nu met Pied Piper?' hoorde ze Maurice nog zeggen, voordat ze haastig naar de deur liep.

Het was de ergste dag van haar leven. Anouk probeerde op te letten en de lege plek naast haar te negeren. De ogen van Kim, Laura en Maurice prikten de hele tijd als messen in haar rug. In de pauze kwam ze Max tegen. Hij zei alleen 'hoi' en liep meteen door alsof ze een enge ziekte had. Janna praatte wel met haar, maar alleen om sappige verhalen te horen. Anouk liet haar staan, zocht een stil plekje op en wenste dat ze onzichtbaar werd. Op het plein zag ze Kim, Laura en Maurice praten. K.L.M. Van haar mochten ze opstijgen en neerstorten.

Ze zorgde ervoor dat ze als laatste in de kleedkamer kwam en wurmde zich in haar sportbroek toen iedereen al in de gymzaal was. Vlug sloot ze aan bij het rijtje met de sloomste leerlingen. Mevrouw Damen demonstreerde juist hoe je een vogelnestje in de ringen moest maken.

De directeur kwam de gymzaal binnen. 'Anouk, kun je even meekomen?'

Wist hij het ook al van Max en werd ze nu van school gestuurd? Met benen als bezemstelen liep ze achter hem aan. Iedereen keek naar haar. Weer hoorde ze Laura en Kim fluisteren, tot de deur achter haar dichtging.

'Ga even zitten,' zei de directeur vriendelijk.

Ze klemde zich vast aan de houten bank. Zo begonnen onheilsberichten op de televisie ook altijd.

'Je moeder heeft net gebeld. Het gaat niet goed met je opa. Ze wil dat je naar huis komt.'

De kleedkamer begon te draaien. Anouk dacht dat ze ging overgeven.

'Zal ik vragen of de conciërge je brengt?'

Anouk knikte stom. Ineens stroomden de tranen over haar wangen. Ze had ze de hele dag weggedrukt, maar nu waren ze niet meer te stoppen.

20

Jelle stond op de oprit voor het huis te wachten. 'Mama is al naar het ziekenhuis. Papa komt van zijn werk hiernaartoe om ons op te halen.' Hij was nog niet uitgesproken of de blauwe Volvo draaide de straat in. Vlug stapten ze in.

'Wat is er gebeurd?' Anouk plukte nerveus aan de stoffen bekleding.

'Een hartaanval.' Haar vader liet de wagen over de drempels denderen.

'Hij had toch alleen last van de hitte.' Anouk kneep haar handen tot vuisten, zodat haar nagels in haar vel staken. Pijn, om de andere pijn niet te hoeven voelen. 'Gaat hij dood?' vroeg ze benauwd.

'Ik weet het niet.' Haar vader scheurde een scooter voorbij. 'Gelukkig was de buurvrouw erbij toen het gebeurde. Ze heeft meteen de ambulance gebeld.'

Anouk kruiste haar vingers. Niet doodgaan, niet doodgaan. De hele tijd zag ze opa voor zich, op de bank onder de kersenboom met een sigaartje in zijn mond. Niet doodgaan, alsjeblieft.

Haar vader reed tot voor de ingang van het ziekenhuis. 'Gaan jullie vast, dan parkeer ik de auto.'

Ze rende met Jelle de grote hal in. Spitsuur. Op de stoelen bij de ramen wachtten mensen op hun beurt, verplegers in witte jassen liepen haastig voorbij. Het piepende geluid van een bed op wieltjes.

'Waar moeten we heen?' vroeg ze paniekerig.

Jelle wees naar een bord. 'Daar: hartbewaking.'

Er was geen tijd voor de lift. Ze renden naar de trap en stormden naar boven. Hijgend kwamen ze in een gang met zeegroene muren. Achter de balie zat een vrouw in een multomap te schrijven.

'Opa,' perste Anouk uit haar keel.

'Jannes Verschoor,' zei Jelle.

De vrouw keek over haar bril heen en glimlachte. 'Maak je geen zorgen, het gaat redelijk met hem. Jullie moeder is er al. Derde kamer aan de linkerkant.'

Voorbij de klapdeuren was het zo stil dat Anouk vanzelf op haar tenen ging lopen. Ze liet Jelle als eerste naar binnen gaan en hield haar ogen op zijn rug gericht. Daarna knikte ze naar haar moeder die naast het bed zat en toen durfde ze pas naar opa te kijken. Hij leek op een robot met al die slangetjes en draadjes aan zijn lijf. Op een kleine monitor bewoog gelijkmatig een groene lijn en er klonken hoge piepjes. Gelukkig, zijn hart klopte nog.

'Ik wacht op de gang,' zei haar moeder zachtjes. 'Anders wordt het te druk voor opa.'

Jelle liep naar het raam en staarde naar de parkeerplaats beneden. Voor het eerst wist hij niet wat hij moest zeggen. Anouk ging op de nog warme stoel zitten en pakte opa's hand voorzichtig vast.

Meteen deed hij zijn ogen open. 'Anouk.'

'Stil nou maar,' zei ze bezorgd. 'Je bent te moe om te praten.'

Hij kneep zachtjes in haar vingers. 'Het was of ik in een donkere tunnel liep. Aan het einde scheen een helder licht. Ik moest steeds aan je oma denken, het was net of ze me riep. Maar dat waren de artsen die me terughaalden. Je opa is een ouwe taaie.'

'Dat is maar goed ook.' Anouk wreef in haar oog.

Jelle kwam nu ook bij het bed staan. 'Je hebt ons laten schrikken.'

De kraaienpootjes bij opa's ogen werden minder diep. 'Het komt wel goed.' Toen viel hij in slaap.

21

Toen ze van het ziekenhuis terugkwamen, zat Laura op het stoepje voor het huis te wachten. Anouk kon wel door het dak van de auto springen van blijdschap.

'Zie je nu wel,' zei haar vader.

'Misschien komt ze wel voor mij.' Jelle drukte zijn neus tegen de ruit.

Anouk stak haar tong uit. 'Ja, hoor.'

Jelle keek naar Laura's benen. 'Ze is best een lekkertje.'

Anouk kreeg de slappe lach. De tranen biggelden over haar wangen en nog kon ze niet ophouden.

'Wat is er zo grappig?' vroeg Jelle verbaasd.

'Alles!' Anouk maakte het portier open en rende naar Laura. Maar toen ze halverwege was, werd ze plotseling onzeker. Dikke kans dat Laura haar de ogen kwam uitkrabben.

'Hoe is het met je opa?' Laura stond op en omhelsde Anouk. 'De Wild vertelde dat hij een hartaanval heeft gekregen.'

Anouk haalde opgelucht adem en kneep Laura bijna fijn. 'Goed. Hij wordt weer beter.'

'Gelukkig. Ik heb kaarsjes en wierook gebrand.' Laura liet haar los. Onwennig stonden ze tegenover elkaar.

'Vrede?' fluisterde Anouk.

'Praten.' Laura trok haar mee de straat in.

Het speeltuintje was bijna leeg, alleen op de wipkip wiebelde een meisje. Laura en Anouk gingen op de rand van de zandbak zitten.

'Ik dacht dat het nooit meer goed zou komen,' zei Anouk.

Laura knikte. 'Ik was zo kwaad. Als je opa niet...'

'Het spijt me verschrikkelijk. Echt.'

'Je had het gezworen!'

'Het kwam door die wespensteek.'

Laura keek niet-begrijpend.

'Max moest het gif eruit zuigen.' Anouk vertelde wat er was gebeurd.

'Hij heeft je bloed geproefd.' Laura tekende cirkeltjes in het zand. 'Dat werkt als een liefdesdrankje.'

Het kon Anouk niet schelen wat Laura geloofde. Als ze maar niet meer boos was.

'Zie je nu wel dat magie echt werkt?'

Anouk had haar buik vol van magie.

'Max heeft het boze oog,' zei Laura.

Mooie, donkere ogen, dacht Anouk.

'Hij heeft ons in het ongeluk gestort. Als dat met je opa niet gebeurd was...' Laura zweeg even. 'Einde vriendschap door zo'n kloothommel.' Ze gromde. 'Ik kan hem wel vermoorden!' Ineens sprong ze overeind. 'Dat is het!'

'Wat?' vroeg Anouk.

'De enige manier om ervoor te zorgen dat hij nooit meer tussen ons komt. We gaan hem vermoorden.'

De hemel was strakblauw en toch leek het of er een donderbui ging losbarsten.

'Je maakt een grapje...' Anouk lachte aarzelend.

'Nee.'

'M-m-maar... hoe dan?'

'Met zwarte magie.'

'Is dat niet gevaarlijk?' vroeg Anouk angstig.

'Je had er toch zo'n spijt van?' Laura keek haar strak aan. 'Nu kun je bewijzen dat je echt mijn beste vriendin bent.'

Anouks hersenen kronkelden zich in rare bochten. Had het voodoopoppetje van De Wild echt gewerkt of was het toeval dat hij zich had gestoten? De bloedeed met Laura had geen effect en ze had nog nooit iemand uit de dood zien verrijzen. In elk geval moest ze laten zien dat ze voor Laura door het vuur ging.

'We hebben een foto van Max nodig en een pluk haar.'

Het was maar een spelletje. Laura en zij waren weer beste vriendinnen, dat was het enige wat telde.

'Ik heb een foto,' zei Anouk.

22

'We moeten hem van achteren besluipen en dan...' Laura liet de schaar zien. 'Knip.'

'Hij wordt vast razend,' zei Anouk.

'Zijn eigen schuld.' Laura stopte de schaar terug in haar rugzak. 'In de pauze. Hij zit meestal op dat muurtje.'

Ze liepen de school in, naar het natuurkundelokaal.

'Laura!' Kim klopte op de stoel naast haar.

'Ik zit bij Anouk.'

Kim sperde haar ogen wijdopen.

'Het is weer goed,' zei Laura en Anouk gloeide van plezier.

'Dus maandag gewoon weer repeteren?' vroeg Maurice.

'Mmm.' Laura keek samenzweerderig naar Anouk en fluisterde: 'We zullen een nieuwe gitarist moeten zoeken.'

Meteen kreeg Anouk buikpijn. Stel je voor dat het echt werkte. Ze schreef een formule over van het bord en luisterde naar de uitleg van mevrouw Jaspers. Voor magie waren geen wetenschappelijke bewijzen.

Ze maakten een omtrekkende beweging langs het schoolplein.

'Duiken,' siste Laura.

Ze hurkten achter het muurtje. Een paar meter verder zat Max op de rand, met zijn rug naar hen toe. Anouk herkende de leren jas uit duizenden.

Laura haalde de schaar te voorschijn en gaf haar rugzak aan Anouk. Wacht hier, gebaarde ze. Toen legde ze haar vinger op haar lippen en sloop dicht tegen de muur in de richting van Max.

Anouk beet op haar nagels. Als hij zich omdraaide ging het fout.

Laura zat nu recht onder Max. Als ze haar arm uitstak, zou ze hem kunnen aanraken. Ze stak haar duim op naar Anouk en kwam langzaam overeind. Zodra haar hoofd boven het muurtje uittorende, bewoog ze sneller dan het licht. Anouk zag de schaar door de lucht flitsen. Knip. Max draaide zich verbaasd om en voelde aan zijn haar. Laura liet de schaar vallen, raapte hem op en rende Anouk voorbij, triomfantelijk wuivend met de pluk haar. Anouk volgde haar zo vlug mogelijk, terwijl de tassen tegen haar benen bonkten. Ze staken de straat over en vluchtten een gangetje tussen twee huizen in.

'Is hij ons gevolgd?' vroeg Laura fluisterend.

'Weet ik niet.' Anouk gluurde om het hoekje en durfde zich niet te bewegen.

Aan het einde van het gangetje werd gevloekt, daarna klonken er voetstappen.

'Hij loopt de verkeerde kant op,' zei Laura zachtjes. 'We wachten nog vijf minuten, dan is de kust wel veilig.'

Anouk knikte en zweeg.

'Vannacht gaat het gebeuren,' zei Laura even later plechtig. Ze stopte de pluk haar in een plastic zakje en deed dat in haar tas. 'In het crematorium op kerkhof Zuylen.'

'Nee!'

'Jawel,' zei Laura. 'Dat is de meest spirituele plek die ik ken.'

'Vindt mijn moeder nooit goed.'

'Ze hoeft het niet te weten. Jij logeert vannacht bij mij. Irene heeft een verjaardagsfeestje bij een vriendin en blijft daar slapen.'

Ondanks het benauwde weer, kreeg Anouk het steenkoud. De lucht begon te betrekken. Er was onweer op komst.

IV

Na de moord

1

Als Anouk vroeg in de ochtend wakker wordt, heeft ze knallende hoofdpijn. Ze ritst haar slaapzak open en stapt op het koele zeil. Naast haar klinken de knorrende geluidjes van Laura, die tevreden ligt te slapen, als de vermoorde onschuld.

In de badkamer hangen handdoeken klaar. Anouk stapt onder de douche en laat de warme stralen over haar gezicht kletteren. Ze zeept zich in en staart naar haar handen. Moordenaarshanden? Er is niets bijzonders aan te zien.

Natuurlijk niet. Het was een spelletje, al leek het vannacht op het kerkhof griezelig echt. Het ging om Laura en haar. Een moord doen voor hun vriendschap.

Ze spoelt zich schoon en draait de kraan dicht.

Maar stel je voor dat het heeft gewerkt? Ineens ziet ze Max bleek en gewond in een grote plas bloed liggen. Het is haar schuld, zij heeft de foto gegeven. Paniekerig begint ze zich af te drogen. Ze moet hem zien, anders zal ze geen moment rust meer hebben.

Zo geruisloos mogelijk kleedt ze zich aan. Met haar schoenen in de hand sluipt ze langs Laura's bed. Waarschijnlijk zou je een kanon kunnen afschieten, dan nog wordt ze niet wakker. Beneden doet Anouk het haakje van de voordeur en schiet in haar gympen. Bah, ze zijn nog klam. Ze stampt de modder uit de zolen en rent in de richting van de Koninginnestraat.

'Waar kom jij vandaan?' vraagt Laura. Ze zit in haar ochtendjas in de keuken en lurkt aan een pak melk.

'Hij leeft nog.' Anouk trekt haar trui uit en wappert zichzelf koelte toe.

'Wie?'

'Max natuurlijk,' zegt Anouk blij. 'We hebben hem niet echt vermoord.'

'Ben je bij Max geweest?' Laura kijkt chagrijnig.

'Ik heb me in de tuin verstopt en naar binnen gegluurd. Hij kwam naar buiten, maar ik herkende hem eerst niet. Zijn haar is zo kort.'

Laura knipt in de lucht. 'Dankzij mijn kapperskwaliteiten.'

'Het staat hem geweldig.'

'Heeft hij je gezien?' Laura pruillip.

'Nee. Ik heb gewacht tot hij weg was en ben toen teruggelopen.' Anouk pakt een beschuit uit de rol. 'Hij is springlevend.'

'Tjonge, wat ben jij vrolijk.' Laura staat op en sloft naar de deur. 'Ik ga douchen.'

'Denk je dat hij maandag gewoon komt repeteren?' vraagt Anouk.

Laura draait zich om. 'Als hij tegen die tijd niet dood is. Bij De Wild werkte de voodoo ook pas later.'

De keuken is leeg. Maar Anouk heeft het gevoel dat iemand haar een klap met een hamer geeft.

2

Maurice geeft een roffel op zijn drumstel. 'Volgens mij komt hij niet. Jullie zijn ook niet lekker. Ik zou woedend zijn als iemand een stuk van mijn haar knipte.'

Laura wijst zelfverzekerd naar de gitaar van Max. 'Hij moet wel, anders is hij de Stratocaster van zijn pappie kwijt.'

Maar als hij nu dood is? denkt Anouk. Ze krijgt het weer benauwd. Stel je voor dat hij in een kwade geest is veranderd en wraak komt nemen.

'Je hebt het toch uitgemaakt?' vraagt Joost aarzelend aan Laura. 'Misschien laat hij ons daarom zitten.'

'Kunnen we het over iets anders hebben?' Maurice legt zijn drumstokjes weg en pakt een fles sinas. 'Al die ruzies en scheidingen, het lijkt wel een soap. We kunnen beter over een andere gitarist nadenken.'

'Welnee.' Laura geeft Anouk een samenzweerderige knipoog. 'Hoewel, als hij echt...'

'Ik ken niemand,' zegt Joost.

'Daar gaat ons optreden,' moppert Maurice. Als hij de dop van de fles draait, spuit er een fontein sinas uit.

'Pas op!' roept Joost. 'Onze apparatuur!'

'Die nieuwe flessen zijn klote.' Maurice veegt zijn hand af aan zijn broek en neemt een slok. Dan laat hij de fles rondgaan.

'We wachten nog een halfuur,' zegt Laura.

'Hoe is het met je opa?' vraagt Joost aan Anouk.

Even is Max uit haar bestand. 'Goed,' zegt ze glunderend. 'Hij moet een paar maanden absolute rust houden, maar het komt allemaal goed.'

'En zijn volkstuin dan?' vraagt Joost. 'Kunnen we hem ergens mee helpen?'

'Dat zou fijn zijn.' Door de deuropening ziet Anouk iemand aankomen. Haar hart maakt een sprongetje. 'Daar is Max.'

Ze lopen allemaal naar buiten. Maurice slaat Max overdreven op zijn schouder. 'Cool kapsel.'

Max grijnst van oor tot oor. 'Nog bedankt,' zegt hij treiterig tegen Laura. 'Eerst was ik razend, maar je hebt me een dienst bewezen. Dit staat veel beter.'

Anouk moet stiekem lachen. Wat is hij leuk!

Laura is ineens druk met haar mobieltje. 'Een sms'je,' zegt ze tegen Anouk, maar wel zo hard dat iedereen het kan horen. 'Van Jelle. Hij vraagt of ik morgen mee ga zwemmen.'

Anouk kan niet aan Max zien of hij jaloers is. 'Dat doe je toch niet?' vraagt ze ongelovig.

'Waarom niet? Jelle is een lekkertje.'

Maurice maakt een gebaar van afschuw. 'Dus zo praten meiden over jongens?'

'Wees maar niet bang.' Laura steekt haar tong uit. 'Dat heb ik nog nooit over jou gezegd.'

'Gaan we nog repeteren?' vraagt Joost.

'Wat een natte plakzooi hier,' zegt Max als hij naar binnen loopt. Hij steekt de stekker van de versterker in het stopcontact.

Geknetter. Een vonk. Max, die op de grond valt.

'Doe iets!' schreeuwt Laura.

'Waar is het elektriciteitskastje?' vraagt Joost. 'Die stroom moet uit.'

'Hier!' Anouk struikelt bijna over het kistje van opa. Ze schopt het opzij en maakt het elektriciteitskastje open. Haar trillende handen gaan naar de schakelaar. Uit!

Maurice knipt zijn aansteker aan en laat het licht over Max schijnen. Die ligt doodstil op de vloer.

We hebben hem vermoord, denkt Anouk. We hebben hem écht vermoord. Ze krijgt haast geen lucht meer. Met trage passen loopt ze naar Max en laat zich op haar knieën vallen. Ze denkt maar één ding: Max moet verrijzen. Het moet, het moet. Nooit zal ze nog foto's verbranden, nooit meer pendelen, nooit meer tarotkaarten leggen, nooit meer zweren met bloed of voodoopoppetjes maken. Als Max maar levend wordt. Nog nooit heeft ze iets zo hard gewenst als nu.

'Moeten we geen ziekenwagen bellen?' zegt Joost.

'Is mond-op-mond beademing niet sneller?' vraagt Laura zenuwachtig.

Anouk buigt zich over Max heen en legt haar hand op de slagader in zijn hals. Nooit meer zwarte magie, maar klop alsjeblieft.

Toch schrikt ze als Max zijn ogen opslaat. 'Waar? Wat?'

'Je hebt een opdonder gehad.' Maurice klinkt opgelucht.

'We dachten dat je geëlektrocuteerd was,' zegt Joost.

Langzaam komt Max overeind, zijn adem glijdt over Anouks gezicht. Slagroomtaartjes, loeiende sirenes, confetti en liefdesliedjes. Max is niet dood, hij leeft.

'Au.' Hij voelt aan zijn hand. 'Ik lijk wel gebarbecued.'

'Water,' zegt Anouk. 'Kom, dan wijs ik je het kraantje.'

Hij leunt zwaar op haar schouder, maar ze voelt zich zo sterk als een reus. Joost haalt zijn autosleutels uit zijn broekzak. 'Daarna breng ik je naar het ziekenhuis. Er moet een dokter naar kijken. Shit, man. We zijn ons wild geschrokken.'

3

Anouk maakt met bibbervingers het laatste knoopje van haar bloes dicht. 'Is het erg druk?'

Jelle zoent Laura voor de tweeënvijftigste keer in haar nek. 'Bommetje vol, maar ik wurm me gewoon voor het podium.' Hij draait een haarlok van Laura om zijn vingers. 'Ik wil mijn knappe zangeres goed kunnen zien.'

Het verbaast Anouk dat haar broer na vier maanden verkering nog altijd verliefd is. Een wereldprimeur. Misschien moet ze de krant eens bellen.

'Zenuwachtig?' vraagt Max.

Nog een verliefdheid die niet overgaat. Ze knikt en maakt haar lippen nat. Ineens geeft Max haar een zoen. Omdat ze er niet op bedacht is, komt hij ergens in haar hals terecht.

'Hoeft niet. Je zingt net zo goed als die andere Anouk.'

Nog even en ze gaat licht geven.

Marian steekt haar hoofd om de hoek van de deur. 'Nog vijf minuten.'

'Succes,' bromt Jelle en na nog drie zoenen weet hij zich eindelijk van Laura los te weken.

'Zannetti, here we come.' Maurice jongleert met zijn drumstokjes.

'Pied Piper,' neuriet Joost en dan lopen ze zwijgend de kleedkamer uit.

Als ze op het podium komen, begint het hele café te applaudisseren. Anouk ziet opa aan een tafeltje zitten, hij steekt zijn hand op en roept iets wat ze niet kan verstaan.

Vooraan staat Jelle, met zijn neus tegen de versterkers. Kim fluistert iets in zijn oor. Maurice tikt af en dan begint de band te spelen. 'Pied Piper, follow me. Trust in me, Pied Piper.'

Het is alsof Anouk tussen het publiek staat en naar zichzelf kijkt. 'And I show you where it's at.' Niemand kan nog stil blijven staan, iedereen danst. Anouk zingt vol overgave. Ze voelt zich zo licht als een vlinder en als Max bemoedigend naar haar glimlacht, krijgt ze nog meer vleugels. 'Follow me...'

De avond is een groot succes.

'Ik heb het in de kaarten gelezen,' zegt Laura.

Anouk rilt. 'Ik doe nooit meer aan magie.'

Laura haalt haar schouders op. 'Dan niet. Ik heb anders iets heel interessants ontdekt.'

Anouk kijkt naar Max, die met een grote zaag op de ladder balanceert. Samen met Jelle, Maurice en Joost is hij wilgen aan het knotten. Opa zit op zijn kistje en schreeuwt aanwijzingen naar boven. Ze zucht. Er is geen vervolg op die zoen in Zannetti gekomen. Ze is niet meer zo zenuwachtig in de buurt van Max, maar ze durft nog altijd niet te zeggen wat ze voelt.

'Wat heb je ontdekt?' vraagt ze ongeïnteresseerd.

'Drie keer raden.' Laura trekt een bosje onkruid uit de grond en gooit het in de emmer.

'De Wild is eigenlijk een weerwolf.'

'Klopt, maar dat bedoel ik niet.'

'Je gaat met Jelle trouwen en jullie krijgen tien kinderen.'

'Dan worden we schoonzusjes.' Laura trekt een verheerlijkt gezicht. 'Nee, maar het heeft wel met liefde te maken.'

Jelle en Maurice sjouwen de ladder naar de volgende boom. Max trekt zijn pet af, glijdt met zijn hand door zijn haren en zet de pet dan achterstevoren weer op. Anouk volgt elke beweging nauwgezet.

'Je bent nog steeds gek op hem, hè?' vraagt Laura. 'Waarom zeg je het hem niet gewoon?'

Anouk bekogelt haar met een graspolletje. 'Ben je dan niet jaloers?'

'Welnee.' Laura wijst. 'Mag ik je mobieltje even gebruiken? Ik heb die van mij aan Irene uitgeleend.' Ze pakt Anouks gsm aan en speelt met de toetsen. 'Dat met Max is allang voorbij. Ik ben stapel op Jelle.' Ze geeft Anouk een waarschuwende blik. 'Maar waag het niet om hem dat te vertellen. Jongens vinden het veel interessanter als ze hun best voor een meisje moeten doen.'

Anouk doet of ze haar mond dichtritst. 'Maar wat hadden de kaarten nou voorspeld?'

Laura geeft het mobieltje terug. 'Over precies drie minuten staat Max voor je neus.'

'Ja, hoor.' Anouk ziet Max iets uit zijn zak halen. Hij kijkt ernaar en daalt dan de ladder af. Met grote passen komt hij hun kant op.

'Zie je wel,' zegt Laura. 'Hij komt even met je praten.'

'W-w-waarover?' stamelt Anouk.

'Ik denk dat hij ook wel verkering wil.'

'Maar, hoe, wat?' Anouk krijgt het Spaans benauwd.

'Telepathie,' zegt Laura. 'Ik heb hem net met jouw telefoon een sms'je gestuurd.'

'Trut!' roept Anouk.

'Zwarte magie mocht niet meer van jou. Ik moest iets anders verzinnen.' Laura staat op en wandelt doodleuk weg. Anouk wil ook opstaan en weglopen, maar haar voeten lijken aan de grond vastgenageld. Ze draait haar hoofd opzij en kijkt naar Max, die steeds dichterbij komt. Ze weet vast niet wat ze moet zeggen. Als hij maar gelooft dat het een geintje van Laura was. Hij is nu zo dichtbij dat ze de sproetjes op zijn gezicht kan tellen. Wat grijnst hij stompzinnig?

Ze knijpt in het zand en probeert terug te lachen. Zou hij dan toch...

Haar hart slaat over, maximumsnelheid.

Max hurkt naast haar. 'Ik kreeg je berichtje.'

Er verschijnen lichtjes in zijn donkere ogen.

Anouk slikt en kan nog maar aan één ding denken: Max, ze zou een moord voor hem doen.